Code voor Dander

D0773979

~~14.90~~
6.95

Aya Zikken

Code voor Dander

Roman

Met een nawoord van Petra Veeger

Uitgeverij An Dekker

Eerder verschenen in de reeks Moderne Klassieken

Jo Boer, *Kruis of munt*
Claire Etcherelli, *Elise en het echte leven*
Margaretha Ferguson, *Neurotisch winkelen*
Nadine Gordimer, *De zachte stem van de slang*
Han Suyin, *Winterliefde*
Tonny van der Horst, *Een engel achter een handkar*
Dola de Jong, *De thuiswacht*
Marie-Sophie Nathusius, *In plaats van moord*
Nel Noordzij, *Variaties op een moederbinding*
Ankie Peypers, *Tussentijds*
Christiane Rochefort, *Kindertjes van deze eeuw*
Anna Seghers, *De kracht van de zwakken*
Ida Simons, *Een dwaze maagd*
Christiane Singer, *Notities van een hypocriet*

Moderne Klassieken/Poëzie
Ankie Peypers, *Gedichten 1951-1975*

Uitgeverij An Dekker, 1992
© Aya Zikken 1965 en 1992
© Inleiding: Petra Veeger, 1992
Boekverzorging: An Dekker
Drukwerk: Drij. Wormgoor, Almelo

CIP-GEGEVENS KONINKLIJKE BIBLIOTHEEK, DEN HAAG

Zikken, Aya

Code voor Dander / Aya Zikken. -
Amsterdam : Dekker. - (Reeks moderne klassieken)
1e dr.: Amsterdam : Arbeiderspers, 1965
ISBN 90-5-71-117-0
NUGI 300
Trefw.: romans ; oorspronkelijk.

HET *ontcijferen van deze code zal je geen moeite kosten. Ik geef het toe : deze 'roman' is een poging je terug te vinden. Je moet dat hebben geweten, Dander, zodra je mijn boek in handen kreeg. In jouw taal is het eerder verschenen dan in de taal van mijn eigen land. Dat zegt genoeg.*

Zodra je hebt gelezen wat volgt zul je begrijpen waarom ik juist nu contact met je zoek.

Het gebruik van de simpele code is bedoeld om toeschouwers die jou noch mij liggen op een afstand te houden. Mogelijke aandacht van omstanders afleiden is nu nog de enige manier om samen te zijn in kamers vol mensen. Want het is duidelijk, we leven al in dat voorspelde jaar '1984'. Dit is de tijd van de candid camera, van verborgen microfoons, handig gemonteerd tussen muren en plafonds van gehorige huizen. De tijd van afluisterapparaten waarmee op straat woorden kunnen worden gehoord die honderd meter verder fluisterend worden uitgesproken, van afgetapte telefoongesprekken, van de dolle grap van een bandrecorder gniffelend weggestopt onder het overhangend tafelkleed. We moeten ons haasten.

Wetenschappelijke onderzoekers construeren op dit ogenblik een toestel waarmee onze gedachten kunnen worden gelezen. Het stond in de krant maar we keken er overheen en lazen de televisierecensies.

Er is veel waarvan wij niets weten.

MIJN eerste indruk van Dander: daar had je er weer een, zo'n opgelegde uit-de-toon-valler. Vooral in Afrika ontliep je dit soort zelden. Makkelijk herkenbare symptomen bovendien, een beginneling, dat was duidelijk.

Zonder groet ging ik langs hem heen, de veranda over naar mijn hotelkamer. Meer dan één zijdelingse blik was niet nodig. Niets voor een vrouw als ik, Lev. Die dag was ik drieëntwintig geworden. Ongelooflijk, zo slap als die vent in z'n stoel hing. Dunne armen, nat van zweet. Een door midden gescheurd laken onverschillig om half ontblote bottige schouders getrokken. Beslist geen appetijtelijk gezicht.

Toch hing een korte slip – was dat opzettelijk? – decoratief tot op de planken vloer waar stemmenrumoer en whiskylucht doorheen drong vanuit de gelagkamer beneden. De korte lap werd door zijn zwierige plooi tot een clowneske draperie die bovendien goed gevulde kuiten en brede dijen vrij liet, een opvallend contrast met de magere schouders en de dunne rimpelige nek.

Terwijl ik de halve tochtdeurtjes van mijn kamer openduwde, had ik ook dat al gezien: de manier waarop hij de versleten rug van zijn rotanstoel achteruit wipte tegen de bekende pot met verpieterde palm. De pot wankelde en stond op omvallen.

Aandachttrekker! En hij maar afwezig staren naar de baai. Mij niet gezien. Dat had ik tenminste geleerd tijdens die drie jaar noodgedwongen rondzwerven door allerlei landen: mensen snel schatten: die niet, deze wel.

Als er in dit troosteloze hotelletje geen ander gezelschap was te vinden, dan ging ik een pracht van een rusttijd tegemoet. Verbroedering zat er voor mij niet in. Met een klap liet ik de deurtjes achter me dichtvallen, schopte mijn sandalen uit, trok mijn drijfnatte blouse over mijn hoofd en keek rond. Jawel, het was er allemaal. Moeheid en de erbijhorende pijn in mijn achterhoofd waar de nog altijd hinderlijke spier weer begon te trekken, kwam snel opzetten. Deze kamer die ik nooit eerder was binnengegaan kende ik uit droom- en waaktoestanden vanaf de grauwe tegelvloer tot aan de kakkerlakken toe die haastig wegschoten in muurspleten. Met afkeer dacht ik aan de badkamer, smerige kuip, glibberige vloer, de achtergelaten stukjes vuile zeep van al vertrokken gasten.

En daar stond het klaar, midden in het vertrek: een bed zonder dekens, de matras bedekt met één enkel grauw laken. Geen hoofdkussen natuurlijk. Een bij voorbaat klaargezet doodsbed, daar deed het me telkens aan denken. Na een douche zou ik daar kunnen gaan liggen. De fan aan het plafond werkte. Een winstpunt. Blij met elke kleine zegen. Ik was er niet blind voor. Toch zou ik die gewaarwording van machteloze ontspanning niet van me af kunnen zetten. Evenmin het paniekgevoel dat ontstond wanneer ik me voorstelde dat de slippen van het laken elk moment bij de hoeken losgetrokken konden worden; de stof geluidloos, snel, strak, om mijn lijf kon worden gewikkeld terwijl gewillige handen een machteloos lichaam naar zee zouden dragen.

En wég met Levka, de veelbelovende, die tot ons aller leedwezen – er bestond alleen geen 'aller' – ontsliep op de bodem van een ons aller onbekende zee. Spoortje tropenkolder, realiseerde ik me, terwijl ik naar de badkamer ging.

In shorts, op blote voeten, liep ik langs die man heen. Hij zat er nog precies zo. Ik kwam terug. Hij zat er verdomd nog net zo. Nu pas merkte ik dat hij vreemd rook, niet naar zweet en stof, het was meer een lucht die je deed denken aan een mengsel van verrotting en medicijnen. Was hij ziek? Ditmaal ging ik met een boog om hem heen, al moest hem dat wel opvallen. Ik kwam hier ten slotte voor herstel, voor rust, dat was zo het spelletje dat ik met mijn familieleden had te spelen.

Nog een volle maand voordat een boot deze kleine havenplaats zou aandoen. Maar toen mijn voeten voor de tweede maal de tegelvloer van de kamer aanraakten, sloeg de hitte me tegemoet. De fan boven het bed had het opgegeven. De scheuren in de wasbak met het daarin aangekoekte vuil zag ik nu even duidelijk als de plank met restanten flesjes en andere rommel, daar achtergelaten door vorige gasten.

Langzaam liep ik weer de veranda op, zocht een niet te wrakke stoel uit en ging, met de rug naar die man toe, dicht tegen de balustrade aan zitten zodat ik het beetje zeewind dat door neergelaten krees heen kwam kon voelen op mijn blote armen.

'Blijft u lang?'

Hij sprak Engels met een niet dadelijk te plaatsen accent.

'Nee.' Ik draaide me niet om bij dat antwoord.

Opzettelijk zei ik het op die speciale toon die ik als afdoend heb leren kennen. Niet cru, niet hooghartig, zelfs niet luid. Eerder klonk mijn stem zacht. De definitief afwijzende toon erin had ik zorgvuldig beluisterd in stemmen van mensen waarbij ik zelf mijn neus had gestoten in de drie jaren die ik had rondgereisd.

'Nee.'

'U vertrekt misschien morgen al?'

Door een schouderbeweging die van alles kon betekenen gaf ik hem ditmaal eigenlijk helemaal geen antwoord.

'Pas morgen kunt u vertrekken. Eerder gaat er uit dit gat

geen trein of vliegtuig vandaan. Het is elf uur nu. Beneden eten ze om één.'

Godnogantoe, was het zijn bedoeling om van elf tot één met mij te praten? En dat voornamelijk omdat er niemand anders bij de hand was? Wie weet bleef ook hij de hele maand. Wachtte hij ook op die boot?

De poten van zijn stoel maakten een krassend geluid over de vloer. Even haakten ze in een van de brede open kieren tussen de planken, kieren waardoor je naakte of witgejaste ruggen kon onderscheiden als je je toevallig vooroverboog. Nog even bleef ik zitten. Toch was het misschien beter hem vóór te zijn. Ik kon iets gaan drinken aan de bar.

Haastig, alsof ik me een afspraak herinnerde, sprong ik op en liep naar mijn kamerdeur toe, terwijl ik flauwtjes tegen hem knikte. Zijn stoel was een flink eind opgeschoven in mijn richting. Ik verheugde me over net die juiste knik die ik bestudeerd had bij mensen die mij definitief hadden afgewezen. Niet onvriendelijk of gepreoccupeerd. Nee, net díe knik. Uitstekend! Vaag lag er nog iets van de uitdrukking die daarbij paste op mijn gezicht toen ik voor de te kleine spiegel mijn haar kamde en mijn lippen wat feller aanzette. Daarop schoot ik in mijn slippers en liep naar de deur.

Een gok was het nauwelijks geweest: zijn stoel stond nu vlak naast de mijne, op de vloer een fles whisky en twee wastafelglazen. Hij maakte het bekende gebaar. Uitstekend.

Uitdrukkingloos staarde ik hem aan en zei: 'Heel vriendelijk van u maar ik heb beloofd een whisky te komen drinken aan de bar.'

Geen enkele kans zou ik hem hierna nog geven. Weer even die knik. Ditmaal overtrof ik me zelf. Geen wonder, ik was razend geworden.

'U wilt niet met me drinken?'

Zijn stem klonk schor, ging van laag naar hoog, brak af. Scherp zag ik nu zijn gezicht maar een leeftijd viel niet te schatten. Donker haar. Daarbij vrijwel geen baardgroei. Jongensachtig zou dat gezicht zijn geweest als de huid niet zo sterk was gerimpeld, als die gelige plooien er niet waren geweest om de roodontstoken ogen met lange omgekrulde wimpers. Zware kwabben bruinachtig vel beefden onder een resoluut aandoende kin.

Hij herhaalde de vraag. Ik wist dat hij mijn zwijgen, mijn hele houding had begrepen. Dom leek hij me zeker niet. Toch zette hij door. Goed, ook ik had geleerd mijn mannetje te staan.

'Nee, ik wil niet met u drinken.'

Hij lachte. Een prachtig gaaf gebit. Dat had hij tenminste.

'Vanmiddag misschien? Na de siësta? Of vanavond, morgen, overmorgen? U wacht natuurlijk op de boot. Veel keus is hier niet. U zult het met mij moeten stellen. En dan: meevallen kan het altijd. Wat riskeert u eigenlijk? De whisky beneden is ondrinkbaar. Deze hier is uitstekend. Dan is er nog de foto. Ik zal u maar meteen bekennen dat het mij niet zozeer gaat om uw gezelschap als wel om het tonen van de foto.

Hij hield een portret omhoog. Vaag onderscheidde ik een vrouwenfiguurtje. Elke spier in mijn gezicht beheerste ik maar hij was als een dier dat mijn afkeer van hem scheen te kunnen ruiken.

'Niet wat u denkt. Het is mijn tweelingzuster. Ze is getrouwd en onbereikbaar. Een keurig fotootje. Kijkt u maar.'

Behendig schoof hij zijn stoel in mijn richting.

'Ik had u alleen willen vragen of ze op me lijkt. Of er iets in haar is dat u aan mij doet denken. En wat of dat dan wel is. Misschien drinkt u straks toch een glas met mij?'

'Nooit!' zei ik en liep zo haastig de trap af dat een van mijn slippers, vastgehouden door een enkel riempje tussen grote en kleine teen bleef haken aan de bovenste tree van de trap.

Verrassend lenig sprong hij overeind, greep het schoentje en wierp het me zo snel en zeker toe dat ik, niet voorbereid op een snelle reactie van zijn kant, mistastte en me moest bukken.

Op dat moment hoorde ik hem weer lachen. De lach van iemand die met een mengeling van spot en vergoelijking lacht om een ander zoals hij zou lachen om zich zelf. En jawel, daar waren mijn schuldgevoelens weer.

Mijn afkeer van hem kwam me opeens overdreven voor. Mijn weigering met hem een glas te drinken, de foto te bekijken leek onnodig en veroorzaakt door gebrek aan zelfbeheersing. De lange treinreis, de hitte van de kuststreek had me waarschijnlijk overgevoelig en prikkelbaar gemaakt. Dan was er nog het vooruitzicht van een volle maand in deze negorij.

Terug kon ik niet meer. Ik mompelde: 'dank u,' op een toon die mijn kort tevoren uitgesproken 'nee' en de zo zorgvuldig ingestudeerde knik volkomen teniet deed.

Lusteloos ging ik beneden op een barkruk zitten. 'Rotmens!' zei ik hardop. Rotmens, zei je tegen een vrouw. Rotvent tegen een man. Wazig bleef ik over dat verschil dubben en keek naar de eigenares die zelf bediende. Een gezicht als de kop van een rinoceros, had ze. Ook al niets van te verwachten.

'Nooit,' zei ik nog eens hardop in mijn eigen taal.

De eigenares knikte. Ongevraagd schonk ze me een tweede dubbele in.

Dat was de eerste ontmoeting. Sindsdien ben ik Dander van tijd tot tijd tegengekomen op mijn omzwervingen, dikwijls in een ander deel van de wereld, soms bijna onherkenbaar veranderd, vaak in een verschillend milieu en tussen andere vrienden.

Totaal verschillend van mijn eerste voorstelling van hem had hij bij voorbeeld geleken, toen hij me, nu een paar uur geleden, achterliet bij deze rots.

Met de bedoeling om hulp te halen? Of was Dander, terwijl hij gierend van het lachen aan het roer van zijn buitenissige zeilboot zat, van plan me hier te laten verrekken?

Nog tien minuten wachten. Nee. Laat ik hem twintig minuten geven. Zodra Dander straks de onherbergzame en steeds zwarter lijkende landtong komt omvaren, zal dit absurde avontuur daarmee de wereld uit zijn. Op mijn gemak zal ik opstaan van de smalle strook zand waar ik nu lig, een strook die met de minuut smaller wordt en de steile rotswand naar me toe lijkt te trekken. Die dingen zullen dan niet meer bestaan: de onverklaarbare geluiden, het abnormaal snel donker worden, de roerloze, niet te beschreeuwen vissersbootjes ver weg op zee en vooral de hoge kale piek die boven de rotswand uitsteekt, er zich overheen buigt en een steeds dreigender schaduw werpt. Zo'n piek waar aasgieren op neerstrijken. Een piek die je klein krijgt. Aasgieren zijn er natuurlijk niet in dit deel van de wereld. Alles zal vergeten zijn zodra ik Dander zie. Vooral het ogenblik van ontzetting toen ik het geluid van zijn stem niet langer hoorde, toen ik dat afgewend profiel zag, de achtersteven van de boot zag verdwijnen bij de landtong zonder dat er een enkel gebaar ter verklaring was gemaakt. Daarna kwam de realisatie dat het onmogelijk was hier zonder hulp, voordat de nacht begon, vandaan te komen. Wel was er een laatste handgebaar geweest. Nauwelijks merkbaar. Maar betekende dat: 'Je ziet maar Lev, dat je er komt zonder mij. Je wist je immers altijd zo goed alleen te redden.' Of betekende het: 'Hou je taai, ik ben zo terug?'

Toen die boot onverwacht vanuit zee aan kwam zeilen, had ik duidelijk Danders stem kunnen horen maar woorden had ik niet kunnen onderscheiden. Misschien was het een visioen geweest. Hoogstens een half uur varen leek het me tot aan de volgende haven. Als hij tenminste van plan was daar een roeiboot te huren om zijn eigen boot er niet aan te wagen door te meren in een baai waarvan alleen Dander wist dat onder het gladde en schijnbaar gevaarloze wateroppervlak gevaarlijke rotspunten zaten.

Bij mijn val van de rots daarnet, toen we beiden lachten, ik nog halverwege de helling en hij staande in de boot: lachte ik toen alléén omdat net nu, op dit moment waarop ik vastgelopen was, de nacht dichtbij, de kou als bedreiging, daar opeens Dander aan kwam zetten, Dander, die ik duizenden kilometers ver had gewaand? En klonk die lach van hem zoals toen, bij onze eerste ontmoeting in die havenplaats: vol spot en tegelijk vergoelijkend? Het móést dezelfde lach zijn geweest. Want al had ik na die eerste keer Dander ontmoet in de vreemdste situaties, op plaatsen waar ik hem het laatst van al dacht te zullen vinden, er was immers nooit iets tussen ons gebeurd wat ons tot vijanden had gemaakt?

Had ik ooit kwetsend gesproken na die eerste reactie op de veranda van het hotel? Vriendschap was er tussen ons niet ontstaan. Evenmin vijandschap. Er was iets ontstaan dat geen naam had. We hadden veel samen doorgemaakt, elkaar genoeg van onze eigen waarheid gezegd, elkaar geholpen, om vrienden te kunnen worden. Dat het niet was gebeurd lag misschien hoofdzakelijk aan mij. Ik was teveel ingesteld op een Dander-vooreens-en-altijd. Dat was hij niet. Of beter: zo iemand bestond niet. Maar dreinerig was ik het in hem blijven zoeken.

Steeds als we elkaar bij tussenpozen, meestal zonder afspraak weer tegenkwamen, leek alles anders geworden. Dander was soms nauwelijks te herkennen: hij droeg andere kleren, had andere gebaren en gewoonten, leek thuis te horen in steeds weer een andere sfeer. Vrienden, nee, dat waren we nooit geweest. Maar vijanden?

Stil liggen. Tegen de rotswand aan. Niet luisteren naar het geluid van water tegen rots. Denken over Dander. Over Dander en mij zelf. Dertig minuten zal ik nog wachten. Dan weet ik het wel.

Nooit!

Dat dacht ik nog steeds toen ik na het eten weer naar boven ging in het hete hotel. De andere gasten bestonden uit een loomuitziend echtpaar, de vorige dag uit Frankrijk aangekomen. Vóór het dessert verdwenen ze al met wat-zijn-we-begonnen-gezichten naar hun kamer. De aanlopers, gestrande vrijgezellen, handelaren uit India, naar het zuiden afgezakte Italianen, waren vertrokken.

Ik had het gauw bekeken. Niemand erbij waar ik ook maar even om maalde. De fans in de eetzaal werden afgezet, een definitief gebaar, zo iets als het sluiten van ramen en deuren in andere delen van de wereld. De portier, een lichtbruin gekleurde, goedgebouwde man in een helderwit hemd dat hem tot op de blote voeten hing, haakte met één hand zijn van bamboe gevlochten bed van de muur. Daar lag hij nu, uitgestrekt voor de ingang van de gelagkamer, de wijdopen ogen naar de deur gekeerd waar gonzend vliegen rondkropen over de kleverige kruk.

Op mijn kamer draaide de fan weer. Ik gooide me, walgend van me zelf, alles, iedereen, op het grauwe bed en sliep dadelijk in. Die uitwerking had de whisky beneden in ieder geval wel. Na de douche om een uur of vier liep ik zelfs neuriënd de veranda over. Van de man die er die ochtend had gezeten was geen spoor te zien. Een tijdlang zat ik beneden op het terras vóór het hotel dat aan een plein vol schaduw lag. Bedelaars, de meesten in hun jeugd al voor dit vak opgeleid doordat men hun beenderen had gebroken, kropen rond tussen de tafeltjes. Enkelen bewogen zich snel en handig heen en weer, de romp vastgesnoerd op een plank met wieltjes. Ze werden even achteloos weggewuifd als de kooplui met kleden, waterkruiken en struisvogeleieren. Op het pleintje, koel door de wijduitwaaierende takken van bomen was het bijna prettig zo apathisch zwijgend bij elkaar te zitten. Lang bleef ik kijken naar een politieagent die bewegingloos gehurkt zat op een stenen bankje en wachtte op het sein dat het einde van de vastendag zou aangeven. Het was Ramadan – als de zon onder was zou het plein pas werkelijk gaan meedoen. In de open lucht zouden vuren aangestoken worden. De lucht van gebraden en sterk gekruide gerechten zou goed samengaan met gelach en muziek.

Kort vóór het diner ging ik naar boven. Op de schemerige

veranda brandden petroleumlampen en bovenaan de trap lag een stuk papier dat ik gedachteloos opraapte. Ik draaide het kaartje om. Het was de foto.

Misschien had ik dat ook wel geweten. Mogelijk had ik zelfs de eer aan mij willen houden en me quasi-protesterend de 'tweelingzuster' laten opdringen. Het staat in ieder geval vast dat ik met de foto in mijn hand naar de dichtstbijzijnde lamp liep, het portretje omhoog hield zodat het licht er schaduwloos op viel en ik het meisje duidelijk kon zien.

Het was geen bijzonder knap kind. Maar ze was jong, zestien, zeventien. Ze had iets ontwapenends over zich, iets warms dat niets had te maken met de wat agressieve hartelijkheid die sommige vrouwen afschrikwekkend maakt.

Vooral de ogen boeiden me. Scherpzinnige ogen, die zich leken in te houden, op hun hoede waren om een aandachtige beschouwer geen schrik aan te jagen. Dit was iemand die wist hoe bang de meeste mensen zijn voor scherpzinnigheid.

Verder was er niet veel bijzonders aan die foto. Wimpers opvallend lang en omgekruld, de lachende mond resoluut. Het was geen naaktfoto zoals ik natuurlijk had verwacht. Een gewone foto van een gewoon aardig meisje. Goed, ik geef het toe. Er was even een gevoel van teleurstelling. Ik liet het stukje papier uit mijn hand vallen en bijna had ik er mijn voet op gezet. Dit was een truc die ik niet begreep. Met een ruk draaide ik me om en botste bijna tegen Dander op. Ik merkte tot mijn verbazing dat hij in lengte niet veel met mij scheelde. Hangend in zijn stoel, had hij die morgen nietig en klein geleken. Hij zag er nu redelijk uit, ook frisser dan die ochtend. Zelfs de schouders waren gestrekt, de kin resoluut naar voren geschoven.

Voor ik een gebaar had kunnen maken legde hij een tweede foto in mijn hand. Hetzelfde meisje in badpak. Zo een als we jaren geleden droegen. Ze had een figuur om jaloers op te zijn, goed gevormde benen, mooie kleine voeten. Maar dat was dan ook alles.

'Lijkt ze op mij?'

Leek ze op hem? Ik keek van hem naar de foto die ik weer naar het licht draaide. Er was zeker een gelijkenis maar die gelijkenis was vaag. De foto kon niet veel langer dan een jaar of vijf geleden zijn genomen.

De man die voor me stond, weer gewikkeld in zijn vreemdsoortige lap, ditmaal niet zo'n gore als de lap die hij 's ochtends had gedragen, was minstens twintig jaar ouder dan het meisje op de foto. Maar mijn antipathie was verdwenen. Ik lachte kort en gaf hem de foto terug.

'Zeker,' zei ik, 'er is een gelijkenis. De lange wimpers, de resolute mond. Wat de rest betreft lijkt ze evenveel op u als een vrouw maar lijken kan op een bijna twintig jaar oudere man.' Ik had op het punt gestaan om te zeggen: op een man die minstens een kwart eeuw ouder moet zijn maar ik wilde aan de veilige kant blijven terwijl ik hem evenmin wilde kwetsen door de zaken onwaarschijnlijk aangenaam voor te stellen. Wat ik zei was dus niet kwaad bedoeld. Integendeel. Ik maakte hem het compliment hem scherpzinnig genoeg te achten voor een te gunstige vergelijking. Bovendien moest hij het verschil in toon kunnen horen, een toon die heel anders was dan de toon waarop ik hem die morgen had toegesproken. Het was allemaal bedoeld als overgang van de botte weigering van die ochtend naar het drinken van het eerder aangeboden glas goede whisky.

Maar met een haast atletische sprong was hij al bij zijn kamerdeur en ik hoorde de deurtjes achter hem dichtvallen. Hij deed het licht in die kamer niet aan zodat ik zijn blote voeten niet kon zien bewegen over de tegelvloer en ook zijn hoofd niet zag uitsteken boven de rand, een schouwspel dat me nog altijd een beetje vermaakte in de tropen.

Begrijpen deed ik het niet. Ik had nog nooit een man ontmoet die wilde lijken op een vrouw al was die vrouw dan ook jaren jonger dan hij. Toch had er iets van verslagenheid gelegen in die snelle sprong. Het was een vlucht geweest. Ik had een vonnis uitgesproken en hij was op de loop gegaan voor dat vonnis. Lachwekkend. Alsof ik hem een stomp gegeven had tegen die magere ribbenkast van hem. Een lor van een vent. Als ik die reactie had kunnen voorzien zou ik bereid geweest zijn te zweren dat ze op hem leek als twee druppels water, die tweelingzus van hem. Natuurlijk was hij een beetje getikt zoals zoveel mensen die hier te lang waren blijven hangen. Ze hadden elk hun privé-teentje waar je niet op moest trappen. Voor de rest waren het dan meestal vrij geschikte mannen of vrouwen en je moest het er bovendien maar mee doen. Geërgerd liep ik naar mijn kamer terwijl ik gedachteloos het eerste fotootje opraapte. Ik had behoefte aan goede whisky.

Het meisje zette ik tegen de spiegel en ik begon mijn gezicht met lotion te betten. Terwijl ik me op mijn gemak opmaakte, zag ik, ondanks het zwakke petroleumlicht, haar gezicht steeds duidelijker naar voren komen. Natuurlijk was er geen sprake van een gelijkenis. Of toch? Het was niet alleen berekening geweest dat ik iets gezegd had over die wimpers en die resolute mond. Zowel het meisje als de man hadden opvallend lange, omgekrulde wimpers, de fijne boog van de wenkbrauwen was gelijk, de lange smalle neus, de vastberaden boog van kin en wangen. Een familielid zou het kunnen zijn. Wie weet zijn dochter?

Plotseling besloot ik dat ik het nu zelf zou zijn die hém attaqueerde. Dat rotte plekje in die man was de enige afleiding die de komende maand leek te kunnen bieden. Hij was me die afleiding schuldig. Hard zijn, hard! Ik had er een gewoonte van gemaakt me zelf dat minstens drie maal per dag voor te houden. Pas een paar dagen later kreeg ik gelegenheid mijn afleiding op te eisen. Toen ik hem voor het eerst terugzag, na die avond van zijn vlucht, leek hij me jaren ouder, ziek en vermagerd. Hij zat in een van de rotan stoelen op de bovenveranda waar de krees al waren neergelaten maar ditmaal zat hij er zonder mijn aandacht te trekken door zijn stoel tegen een pot met palmen te duwen. Hij deed of hij me niet hoorde maar daar trok ik me niets van aan.

Het was een uur of elf. Ik had nog twee uur de tijd om met hem te praten en ik zou het er beter afbrengen dan hij het er had afgebracht op de dag dat ik hier aankwam. Wat hem niet was gelukt: een ander betrekken in een ongewenst gesprek, zou ik zonder moeite klaarspelen.

Geen moment aarzelde ik. De eerste de beste rotan stoel greep ik bij de rugleuning en plaatste die vlak naast de zijne. Om me met beleefdheden op te houden, daar was het nu de tijd niet voor.

'Hier is uw foto,' zei ik en gaf hem het portretje van zijn 'tweelingzuster' dat al die tijd tegen mijn spiegel had gestaan. Ik kende dat gezicht nu zoals ik mijn eigen gezicht kende.

Lusteloos nam hij het van me aan en zijn krachteloos uitziende vingers lieten het even later op de grond vallen.

'Jammer dat u mijn opmerking van een paar dagen geleden verkeerd begreep. Maar het is duidelijk: dit meisje kan onmogelijk uw tweelingzuster zijn. Het is niet nodig mij als een dwaas te behandelen alleen omdat u een paar jaar leven op mij vóór hebt.'

'Niet zóveel jaren.'

'Een jaar of twintig?'

'Tien jaar schat ik. U lijkt me niet veel ouder dan begin twintig.'

'En u zou –.'

Maar ik hield me zelf op tijd in. Nog steeds wist ik niet of zijn overgevoeligheid verband hield met zijn leeftijd die ik op zijn best begin veertig schatte of met de veronderstelde gelijkenis met het portret en mijn ontkenning van de gelijkenis. Ik werd voorzichtig. 'Zij lijkt op u. Dat is waar. Vrij sterk zelfs. Pas later heb ik dat gezien. Dezelfde ogen, wenkbrauwen en dan vooral die lange omgekrulde wimpers, de even opgetrokken mondhoeken, de besliste lijn van kin en wangen.'

Omdat hij niet antwoordde, wilde ik zelfs wel tot in het onzinnige overdrijven om hem uit zijn lethargie te halen.

'Als het niet was dat zij er zo uitgesproken vrouwelijk uitziet, zou ik dadelijk hebben toegegeven dat het een broer van u kon zijn. Maar dat misleidde mij.'

Over het leeftijdsverschil zweeg ik nu maar. Want misschien was het ten slotte toch dat wat er mis was bij hem.

Omdat hij nog steeds niets zei, ging ik wat matter door: 'of een zuster, dat kan natuurlijk ook.'

Onbeweeglijk bleef hij zitten, zijn profiel met de lange dunne neus van het fotootje was naar me toegekeerd.

'Ik geef het dus toe,' zei ik ten einde raad, 'het is een zuster van u. Het spijt me nu dat ik twijfelde aan wat u zei en er een grapje van maakte dat u misschien verkeerd uitlegde door mijn houding. U moet dat zo zien: vermoeidheid, de overgang van de hoogvlakte naar de hitte van deze havenplaats –.' Dat hij 'tweelingzuster' had gezegd, legde ik naast me neer.

Ik aarzelde. Hoe weinig leek ik nu op de zelfbewuste vrouw die ik geprobeerd had te spelen op de dag van aankomst. Mijn nieuwsgierigheid won het ten slotte.

'Ik ben hier voor mijn gezondheid,' zei ik met een schamper lachje, mijn geestelijke gezondheid, dat spreekt. Een shock op mijn twintigste jaar. De gewone geschiedenis: een onbeantwoorde liefde waar ik maar niet van af wilde. De familie dacht dat reizen alle vroegere indrukken zou laten verdwijnen. Dat doet het voor het grootste deel natuurlijk ook. Maar ik laat ze in de waan dat er voor mij geen verschil is gekomen. Aan die man denk ik vrijwel niet maar het reizen bevalt me. Ik houd me er voorlopig aan.'

Hij bleef zwijgen en bijna was ik opgestaan.

Slaafse kaarsesnuiter, dacht ik. Die dwaze uitdrukking gebruikte ik wanneer ik me gekwetst voelde door falen en ik wilde nooit falen. Uiterlijk rustig boog ik me voorover en greep het portretje.

'Het voorhoofd ook,' begon ik te overdrijven – er hing een lok haar over het voorhoofd van dat kind zodat je de vorm nauwelijks kon onderscheiden – 'Nu ik het goed bekeken heb, bij daglicht bovendien, vind ik de gelijkenis treffend. Uw tweelingzuster, ongetwijfeld!'

'Ik ben het zelf.'

Zijn stem klonk nauwelijks geïnteresseerd.

Knots was hij dus. Het stelde me teleur. Geen merkwaardig rot plekje in een overigens gezonde man maar gewoon iemand die hier in de hitte langzaam maar zeker kapot was gegaan. In plaats van Napoleon die vrouw van het fotootje.

De vettige randen van de stoelen glommen in het licht dat steeds feller door de krees heen drong. Het roepen van straatventers klonk doffer, eentoniger, de kreten van bedelaars rauwer. Een geur van whisky of van dat wat er hier voor door ging, deed me bijna kotsen. Whisky. Een glas goede whisky.

Walgend van me zelf maar met de gedachte in mijn hoofd aan een hele maand in dit hotel, in deze negorij, zei ik vriendelijk: 'U bent het zelf. Een grap, een verkleedpartijtje, ik begrijp het.'

'U begrijpt niets.'

Met een ruk draaide hij zijn stoel om, zodat we bijna knie aan knie zaten, de gezichten naar elkaar toe. Na een vluchtige maar weinig geïnteresseerde blik de veranda over, sloeg hij met een snel gebaar de lap die hij ook die dag had omgeslagen, wijd open.

Ik zei niets. Rustig trok hij de lap weer om zich heen.

'Nu begrijpt u het wel.'

Hij draaide zijn stoel om, maakte een beweging om op te staan. Het was waar dat ik me misselijk voelde, dat ik een ogenblik de neiging had gevoeld zelf op te springen en te verdwijnen in mijn kamer. Als ik dat zou hebben gedaan, dan zou ik er denkelijk geen enkele verontschuldiging aan hebben toegevoegd.

Nu hij me met z'n vlugge reactie vóór wilde zijn, weerhield ik hem haastig. Zelfs ging ik zover dat ik een slip van zijn linnen lap vastgreep – het was een niet-overwogen gebaar om hem te beletten op te staan.

'Hierbij kan het niet blijven,' zei ik schorrig. Daar had je het weer, dat hinderlijk veranderen van mijn stem zodra ik geëmotioneerd raakte.

'Als u mijn kleding loslaat, dan haal ik de whisky die ik u een paar dagen geleden beloofde.'

Ik voelde dat ik rood aanliep. Bot zou ik geweigerd hebben als ik zijn ogen niet had gezien, de ogen van de foto waar ik nu bijna een week lang dagelijks naar had gekeken. Scherpzinnige ogen die al lang wisten wat er in me omging.

Hij lachte ook. Diezelfde lach van een paar dagen geleden. Knots maar onweerstaanbaar, dat was hij.

Ik glimlachte terug, ging rechter in mijn stoel zitten. Maar toen ik hem niet meer zag, kwam de afkeer terug. Alles goed en wel, maar dít!

Ik kon er nog vandoor gaan, nu dadelijk, geruisloos, de whisky beneden was misschien niet zo slecht ten slotte.

Maar hij was er al met zijn fles en twee glazen die hij achteloos afveegde aan een van de slippen van z'n kleding.

Hij schonk in. We dronken. We keken elk een andere kant uit.

Het was bijzonder goede whisky. En wat was er ten slotte aan de hand? Zo'n mirakel was het nu ook weer niet. Ik hoefde er verder niets over te horen. Was het mijn zaak soms? En ik had er ook geen belangstelling voor. Of verbeeldde ik me dat maar, schrok ik terug voor wat hij me wilde gaan vertellen?

Het was toen dat hij voor het eerst zijn naam noemde. Dander. Of dat zijn voornaam was of zijn familienaam? Ik vroeg er niet naar. Zelf antwoordde ik kort: 'Levka, zeg maar Lev.'

We hebben elkaar nooit anders genoemd.

Als ik me soms had voorgesteld dat hij zou gaan uitweiden,

breedvoerig een betoog opbouwen, dan had ik me in ieder geval vergist. Hij was er gauw mee klaar.

'Medicijnen gestudeerd. Naar de tropen gegaan. Gehandicapt door dat vrouwelijke uiterlijk. Een wat manlijker uitziende vrouw zou het hebben kunnen klaarspelen maar ik –'

Hij wees op het fototje.

Het was duidelijk. Zo'n haast breekbaar uitziende vrouw zou het vijf jaar geleden in dit land moeilijk hebben kunnen bolwerken. Ik veegde mijn kletsnatte voorhoofd af, hield zonder nadenken mijn glas op. Er werd dadelijk ingeschonken.

'Ik liep de kans teruggeroepen te worden na een paar vervelende voorvallen. Er bestaat een kuur. Nog in het beginstadium natuurlijk. Risico is er altijd bij maar ik gebruikte mezelf als proefkonijn. Het lukte. Baardgroei, lage stem, mijn menstruatie hield ook op en mijn borsten –'

'Ja, ja!' zei ik haastig. Mijn voorstellingsvermogen werkte prima en mijn glas was leeg.

Ze zag dat ik naar de foto keek, nam hem voorzichtig in de nog vrouwelijke handen, keek er aandachtig naar en scheurde het stuk papier daarop beheerst in snippers.

'Kans op complicaties zijn er bij zo'n proef dus altijd. In dit geval waren het de nieren. Doorgaan met mijn experiment zou zelfmoord zijn geweest. Een jaar geleden hield ik ermee op. De menstruatie kwam terug, de rest heb je gezien. Mijn lichaam zal zich herstellen maar in hoeverre? Heeft het mijn manier van denken beïnvloed? Zijn de hersencellen aangetast? Eén ding is zeker: dát – ze wees naar het hoopje snippers op de vloer – word ik nooit meer.' Met een knikje liep ze naar haar kamer.

Ja, die eerste ontmoeting met Dander. Geen van beiden vermoedden we toen nog hoe onvoorstelbaar haar lichaam zich zou gedragen.

Want onvoorstelbaar heeft je lichaam zich gedragen, Dander. En met je lichaam je persoonlijkheid, je gedachtengang, je reacties. Steeds leek je een ander als ik je na lange tijd weer tegenkwam. Altijd stond ik aarzelend tegenover je. Was je betrouwbaar of niet? Meer man dan vrouw? Of juist omgekeerd? Was je werkelijk veel ouder dan ik of had je toch maar een paar jaar op me voor, al zag je daar nog altijd niet naar uit. Was je – voor mij – onbegrijpelijk veel wijzer of zo dom dat ik me een dergelijke domheid niet kon voorstellen en gemakshalve aannam dat ík het was die faalde als ik je woorden, je daden, niet begreep? Nog altijd is er geen antwoord op deze vragen en nog steeds zie ik je boot niet terugkomen om mij weg te halen van deze plek waar ik in reëel gevaar ben. Je had al lang terug kunnen zijn, dat weet ik nu. Ik zal me moeten dwingen jou even te vergeten. Nu is voor mij het moment gekomen om te leven alsof er geen ander op de wereld bestaat. Nu weet ik eindelijk dat ik op niemand hoef te rekenen, dat ik niet het recht heb op iemand te rekenen, dat ik dat ook nooit heb gewild. Toch heb ik het altijd gedaan tot nu toe. De gewoonte is aan me blijven hangen als een kleverige klit. Scherp, meedogenloos, pijnlijk, besef ik dat ik door die domheid jaren van mijn leven heb verprutst. Het doet er niet toe. Er blijft een rest. Die rest zal ik niet weggooien, Dander.

Daar ga je dan voorlopig. Terwijl ik probeer mezelf te redden uit deze absurde situatie, besta jij – zolang dit duurt – niet. Als het me mislukt, besta jij helemaal niet meer. We zijn verbonden, dat is altijd zo geweest en niets kan het veranderen.

Eén ding is voor mij zeker: als ik hiervandaan wil komen, als ik dat werkelijk wil, dan zal ik slagen. Daarna zal ik je weer ontmoeten, over je nadenken, anders dan vroeger, want hoe dan ook: zolang ik leef besta jij ook, ben je de moeite waard me mee bezig te houden.

Terwijl ik dit haast onmogelijke probeer, moet ik in de eerste plaats blijven denken, tegen me zelf praten. De zandstrook aan zee ligt nu al een meter beneden me, mijn voeten staan stevig op een rotsrichel. Van nu af zal ik niet meer omlaag kijken. Duizeligheid moet ik voorkomen want ik begin de loodrechte rotswand te beklimmen, langzaam, methodisch, zonder in paniek te raken, zonder te denken aan wat achter, onder me ligt. Mijn voeten tasten naar punten die in de rotswand uitsteken en mijn handen zoeken zoveel mogelijk houvast aan de niet diep gewortelde sporadische doornstruiken. Elke mogelijkheid waardoor ik me zelf omhoog kan werken moet ik snel schatten. Daarvoor heb ik alle zintuigen nodig. Toch doe ik af en toe mijn ogen dicht om niet te zien hoe het daglicht mindert.

Beter is het de helle zon van deze middag voor ogen te houden. Op mijn gemak, fluitend zelfs, ging ik uren geleden langs het voetpad omhoog. Zoveel breder dan het rode lijntje op mijn oude kaart bleek het pad ook niet te zijn. Soms leek het haast uitgeveegd door lage struiken en onkruid, die knorrig hadden tegengestemd wat de begaanbaarheid ervan betreft.

Zelfs het intact gebleven fort uit de oorlogsdagen, van waaruit guerrillastrijders voor niets – voor niets dan hun gevoel een held te zijn – de kust hadden bewaakt, was nu bijna helemaal bedekt met kale boompjes, stoffige struiken.

De naar zee gekeerde helling had het altijd al nutteloze fort buitgemaakt. Geen andere vijand had er ooit een ogenblik aandacht aan besteed. Deze zelfde middag nog – maar het leek lang geleden – had ik er even zitten uitrusten en over de zee gekeken.

Punta Madre, waar ik de laatste boot, die van vier uur, had gemist, kon ik nog net in de diepte zien liggen. De zee leek toen nog niet verlaten, hield elke bedreiging bedriegelijk verborgen.

Verderop stak een landtong ver in het rustige water uit. Daardoor kon ik Chiaro, waar ik heen had willen gaan, niet zien liggen. Evenmin kon ik bepalen hoeveel baaien en schiereilandjes er nog zouden komen, hoever het was van hier naar Chiaro.

De kaart gaf wel het voetpad over de hellingen en bergkammen aan maar liet de kustlijn onbekommerd vaag en grillig.

Die gemiste boot moest nu al lang in Chiaro zijn. Het had maar een paar minuten gescheeld of ik had aan boord kunnen gaan en in dat geval zou ik nu op een hotelbalkonnetje uitkijken over de baai. Had moeten. Had kunnen. Had willen. Genoeg daarvan. Voor altijd genoeg daarvan. Wat ik beter had kunnen doen was dezelfde weg die ik die ochtend was gegaan, teruglopen. Maar een weg terug staat me tegen. Ook genoeg daarvan. Ik weet nu dat ik nergens kom als ik niet af en toe een weg terug ga. Als ik me niet aanwen wanneer dat moet wegen terug te gaan. Alleen dan kan ik me veroorloven zorgeloos een verkeerd pad in te slaan zonder het leven erbij in te schieten. In zo'n verlies heb ik geen zin.

Op twee uur had ik, vanaf het fort gerekend, het pad naar Chiaro geschat. Maar toen het fort achter me lag, bleek het pad al gauw nauwelijks meer een pad te zijn. Ongeveer twintig jaar geleden hadden hier mensen gelopen, heimelijk van het ene fort naar het andere. Daarna was er waarschijnlijk niemand meer gekomen. Steeds weer als ik om een baai heen een weg had gevonden door dicht ineengroeiende struiken, als ik dan de in zee uitstekende bergkam was overgestoken, lag een andere landtong voor me die zich even ver de zee in drong, om een vrijwel eendere baai gebogen.

Toch wrong ik me driftig verder. Was dat een niet te weerstane drang mijn krachten te schatten? Of stond ik me zelf, opgewekt fluitend, naar het leven?

Zinloos is het in deze richting te denken. Elke daad, iedere gedachte kan symbolisch worden opgevat of uitgelegd. Een bewijs is er nooit en de symboliek zit meer in de beschouwer, de uitlegger, dan in de feiten. Dat heb ik altijd wel geweten. Ook dat dit geldt voor het geval waarin ik zelf de beschouwer en uitlegger van mijn eigen daden ben.

Het is een makkelijke manier om door onverklaarbaarheden heen te komen. Lukt iets niet: zelfvernietigingsdrang. Lukt iets wel: nou, dat kwam dan toevallig zo uit. Behalve ik zelf had ook mijn familie daar een handje van. Snaterende eenden leken het soms, hun snavel vlak boven het wateroppervlak, gulzig op zoek naar de hun door mij en mij-gezinden toegeworpen korsten brood. Altijd op zoek naar symboliek in woorden en daden van anderen. Wat je zoekt, dat vind je, als je per se wilt. Je geeft alles een haast onmerkbare draai, negeert dat wat niet in je kraam te pas komt en de argumenten liggen voor het grijpen. Je hoeft het je zelf niet moeilijk te maken. Nergens voor nodig. Laat het woord 'logica' vallen, op de juiste toon en plaats, met het enig goede gebaar erbij. Meer is niet nodig. De symboliek dus voornamelijk in de schoot van familieleden en oppervlakkige kennissen gegooid. Zij hebben mij deze jarenlange reis, de eindeloze omzwervingen gegund. Tegenover zoveel goeds moet je iets boosaardigs stellen, al is het niet veel. Ten slotte zijn zij handenwrijvend tevreden met hun rol: míj is de daad in elke schakering gelaten – zíj nemen de kritiek voor hun rekening, negeren mijn slagen, fluisteren luidkeels elk falen rond.

Nee.

Dit matte gefilosofeer leidt mijn gedachten niet van de rotswand af. Een onderwerp! Mijn God, al is er dan misschien geen God: een onderwerp! Zelfs het fluiten van Piet Hein, meestal een onfeilbaar middel in moeilijke situaties, is hier niet mogelijk. Ik zie geen kans te hijgen en tegelijk te fluiten. Bovendien is het grauw van de rotswand maar op een paar centimeter afstand van mijn gezicht en dempt elk hulpvaardig geluid. Al lang weet ik niet meer hoeveel meters er beneden me liggen, hoeveel er nog boven me zijn. Drieëntwintig jaar lang heb ik niets beleefd, gedaan of nagelaten waar ik nu over zou willen denken. Beter opletten voortaan. Rekening houden met de mogelijkheid dat er een tijd kan komen waarin men aan zo iets behoefte heeft. Veel plezierige zonden begaan. Niets dat de moeite van een experiment waard is nalaten. Veel doen. Waarschijnlijk is daar dan toch wel iets bij om aan te denken op momenten als deze.

Mijn voeten vinden geen nieuwe, hoger gelegen richel. Hier

groeit zelfs niet het geringste struikje waaraan ik me omhoog zou kunnen trekken. Maar mijn handen voelen iets dat ik niet thuis kan brengen in dit al-bijna-donker. Nog een enkele gedachte heb ik over: Dander bestaat niet, hij was fictie.

Dag Levka, meest geliefde van alle mensen die ik ooit ontmoette, ik heb altijd respect voor je gehad al liet ik het niet merken. Dag dus!

Hoelang lig ik hier nu al op een vlak stuk grond? Het bonzen tussen mijn ribben dat pas leek te beginnen op het moment dat ik me over die rand trok, is nu wel voorbij. Op kousevoeten is het zoete dagelijkse denken, het moeiteloos gesuf, teruggekomen. Ik ben ermee in mijn schik. Een gemakzuchtiger mens dan ik zal er nauwelijks bestaan. Een beetje camouflage heb je er natuurlijk bij nodig, de eigenschap is niet in trek, je wordt erop aangekeken, dat geeft maar weer onnodige last.

Tuk heb ik ze allemaal, ik, Lev. Zo zal het altijd zijn. Die Dander bestaat wel degelijk. Dacht zeker dat ik er niet kon komen op m'n eigen houtje. Nou, eerlijk gezegd, ik dacht het ook. Toch zie je maar weer. Meestal ben je net één streep verder dan je denkt en op die ene streep komt het aan. Duizenden onderwerpen zijn er die me interesseren, heel wat 'zonden' waaraan ik met plezier terugdenk. Dan de experimenten, met me zelf, met anderen, die ik nooit zou willen missen. Een kostelijk leven tot nu toe. Voldoende rotdingen ook om de rest des te beter te maken. Alles prima georganiseerd en nog steeds is het niet afgelopen met Lev, nog steeds kan ik doorgaan, feller, intenser.

Alleen: niet nú denken aan al die gezichten, stemmen, gebaren van mensen die ik me met warmte en met woeste haat herinner.

Nu ik volkomen uitgerust ben, weet ik zeker dat een verder doordringen in de richting van Chiaro geen zin heeft. Geen idee heb ik ervan wat en hoeveel er nog vóór me ligt. Proberen het fort te vinden. Daar komt het op aan.

Het wordt nog een opgaaf, nu het al donker wordt. De maan is nauwelijks op. Er zijn wolkenvelden die de meeste sterren onzichtbaar maken. Bovendien ben ik op een donkerder plek dan waar ik straks zal zijn. Dat komt door de overhangende rotspiek die de kale bergtop sinister maakt. Niet hardop gaan grinniken, dat leidt tot hysterie. Kan ik me niet veroorloven zonder iemand erbij om me de befaamde klap in mijn gezicht te geven. Een beetje lachen in me zelf kan er nog af: 'nacht op de kale berg' – wie weet zie ik straks vanaf het fort een heksensabbat? Je overschat je zelf, Lev. Dit zijn overdreven gedachten, hier niet op z'n plaats. Waar het op aan komt is dit: kort de schade opnemen. Niets aan de hand. Pijnlijke spieren maar het trillen is opgehouden – Nu meteen verder.

Het duurt lang, deze weg terug, ik lijk nauwelijks vooruit te komen. Het struikgewas is hier dichter, verwarder dan op de heenweg.

Daarmee krijg ik dus gedeeltelijk mijn zin: de weg terug is niet gelijk aan de weg die ik eerst ging. Het zweet gutst langs mijn gezicht, armen, benen. Hoe kan het 's nachts op deze hoogte zo bloedheet zijn, laat in de herfst? Koorts heb ik niet. Toch heb ik het warm als op die dag in Afrika toen ik Dander voor het eerst ontmoette. Geen Dander nog. Straks, op het fort, dan zal ik over dat alles, onze ontmoetingen, onze strijd, ons onophoudelijk achter elkaar aanjagen, gaan nadenken. Ik heb de hele nacht. Eerst het fort vinden. Daar moet ik dan blijven. Afdalen langs het pad over die steile helling, terug naar Punta Madre, is niet meer mogelijk. In het donker zou ik een voet verkeerd kunnen plaatsen, een enkel breken of erger. In deze tijd van het jaar komt er geen mens op deze berg. Ook heeft niemand mij gezien toen ik naar boven ging. Wie zal mij hier zoeken. Dander? Nee, geen Dander. Nog niet. Het risico een enkel te breken of alleen maar te verstuiken, bestaat ook nu. Voor je zelf zorgen, dat is het eerste gebod – dat maakt alle andere geboden pas mogelijk. Broeder lichaam. Noemen de

Chinezen dat niet zo. Ik moet mijn broeders hoedster zijn. Ik moet me dus concentreren, me ondanks dit donker zien te oriënteren, me om die rotswand heen weten te werken. Dan zal ik uit de schaduw van de overhangende piek komen en mogelijk, nee waarschijnlijk zal ik een lichte vlek zien: het fort. Naar het geritsel om me heen luister ik al niet meer. Het kunnen allerlei kleine dieren zijn. Dat er een enkele grote bij is hoor ik aan het kraken van takken. Ik stel me voor hoe het dier naar z'n hol kruipt zoals ik naar het mijne, op handen en voeten. Ze slaan op de vlucht zodra ze me horen. Zelf hoef ik daarom geen angst te hebben. Ze zijn bang voor Lev.

Het is zover: het fort. Mijn korte jasje ben ik kwijt geraakt; alleen mijn schoudertas heb ik nog. Maar goed dat ik iedereen al die jaren heb laten lachen omdat ik, mode of geen mode, altijd een schoudertas droeg. Die heb ik nu dus zonder dat ik er tijdens mijn tocht ook maar een ogenblik aandacht aan heb hoeven geven. Die tas, de inhoud, zal belangrijk zijn deze nacht.

Het is hier kouder. Het is hier zelfs bijzonder koud. De rots achter me, pikzwart, heeft z'n verafschuwde schaduw met spijt prijs moeten geven omdat ík dat zo wilde. Een kleine wraak heeft hij intussen wel uitgedacht: vanuit de luwte waarin ik klom ben ik op een klein plateau gekomen waar een ijzige wind me al die tijd opwachtte. Opvallend dat je, zonder menselijk gezelschap, de neiging krijgt de dingen in je omgeving menselijke eigenschappen toe te kennen. Een oerbehoefte blijkbaar, dat verlangen naar de ander met gehate en geliefde eigenschappen.

De wind waait hier natuurlijk iedere nacht zo, vooral in deze tijd van het jaar. En dat ik het koud heb spreekt vanzelf: het zweet in mijn natte kleren droogt op, ik ben niet meer in beweging, ik heb mijn jasje verloren, kousen heb ik deze morgen niet aangetrokken, ik draag een dun blousje met korte mouwen. Dat zijn de feiten. De rots is een dood ding. Ik, Levka, ik leef.

Misschien was het vermoeidheid. Hoe kon ik anders zo stom zijn zonder meer het fort binnen te lopen? Eerst heb ik nog tastend mijn handen tegen de muur gelegd, met beide vuisten heb ik er daarna op gebeukt. Angst, opwinding, opluchting ook, zat in dat gebaar. Er was toen al geen maan meer. Boven me een halve bol, nauwelijks minder zwart dan de rotspiek achter me. Het werd steeds kouder. Mijn vingers weigerden van mijn vuisten open handen te maken. Ik liep het fort binnen. Twee stappen. Het leek daar warm, ik was er uit de wind. In mijn schoudertas zocht ik met gekromde vingers naar lucifers – het doosje was bijna leeg, ik moest zuinig zijn. Beheerst, net niet te voorzichtig maar ook niet gehaast, streek ik er een aan toen het bloed in mijn handen weer begon te stromen. Ik zag het ronde gat vlak voor mijn voeten. Nog net kon ik knielen, de loodrechte ijzeren trap zien die door de koker omlaag liep. Toen doofde het vlammetje, een bodem had ik niet kunnen onderscheiden. Met voeten en handen tastte ik het fort van binnen af. Ik was in een kleine koepelvormige ruimte waar door een brede spleet hoog in de muur wat licht van de gedeeltelijk vrijgekomen maan naar binnen kwam. Als ik op mijn tenen ging staan zag ik schittering van water, ver beneden me. Hier was het beschut maar ik kon het diepe gat in de betonnen vloer niet vergeten. Ook was ik nog niet zeker van de beheersing over mijn lichaam. Buiten viel de wind weer op me aan maar er was meer licht. Ik zag de niet eerder opgemerkte trap naar het dak van het fort. Daarboven leek het nog lichter. Een laag muurtje vormde een boog die beschermde tegen de wind. De borstwering. Als ik neerhurkte had ik geen last van die wind. Hier zou ik blijven, alleen bij regen zou ik naar binnen gaan. Mijn benen, armen en schouderbladen werden met de minuut pijnlijker en stijver. Snel iets doen. Drie vrijwel kale boompjes vond ik, dicht tegen het fort aangegroeid. Op de tast brak ik zoveel mogelijk takken af, liep met armen vol takken de trap op en neer. Alles moest snel gebeuren, het was noodzakelijk dat ik in beweging bleef. Nu heb ik er geen idee meer van hoeveel maal ik die trap wel op en af liep. Alles gooide ik haastig op de vloer van het dak. Het was te donker om te zien of de voorraad al voldoende was. Daarom plukte ik voor de zekerheid drie boompjes kaal. Pas toen alleen de stammen overbleven ging ik naar boven en nam een paar ronde stenen mee die nog warm waren van de zon van die dag. Op dat ogenblik, toen ik het dus niet meer zó nodig had, trokken alle wolken weg. Een vrijwel volle maan, sterren, zee en het flitsende licht van de onzichtbare vuurtoren in Punta Madre. Ik hurkte in mijn dakloos huis vol takkebossen, ordeloos neergesmeten en begon fluitend de bladeren van de takken te stropen.

De stenen stapelde ik op de koude betonnen vloer tot een comfortabele zetel – stoel was een woord te min voor dit bouwsel. Die zitplaats bedekte ik met een vracht bladeren. Daarna brak ik de takken in grotere en kleinere stukken, legde alles methodisch bij elkaar, je kon niet weten hoe donker het die nacht weer kon worden.

Van het droge hout begon ik met aandacht een vuurstapel te maken. Nog een dierenhuid en ik zou de oervrouw zijn geweest, te vervuld van de noodzaak het er elke dag en nacht levend af te brengen om aan iets anders te denken dan aan dat wat vlak voor de hand lag.

'Vlak voor de hand,' zei ik, blij met mijn eigen stem. Vóór deze dag had ik niet geweten wat dat inhield en ook niet hoe belangrijk alles kan zijn dat vlak voor de hand ligt.

'Vader was monsterachtig precies,' zei ik zacht, 'monsterachtig' is het juiste woord, ook al zijn monsters niet precies. Maar hij wás het. Monsterachtig precies en zó wilde hij dat ook ik zou zijn. Nu, godzijdank, ik ben monsterachtig precies geworden. Hij heeft me geleerd hoe ik een vuur moet aanleggen. We kampeerden. Mijn toen nog onvolgroeide vingers plaatsten de spaanders niet op de juiste manier. Onhandig stootte ik telkens de piramide van droge takjes omver. Hij zat erbij te kijken. 'Opnieuw! Nog eens! Niet zó! Doe het nu eindelijk eens goed. Leer je het dan nooit?'

Ik stikte bijna van woede. Het gekampeer met de hele familie haatte ik, maar een vuur aanleggen heb ik geleerd. Nu zou ik het kunnen doen met mijn ogen dicht. Dat deed ik dus boven op het fort, feilloos, zo snel als ik kon met mijn gevoelige spieren. Dat alles dank zij het starre perfectionisme van vader in die tijd. Ik haatte het toen en hem erbij. Maar zou ik hierna ooit nog iemand haten die mij iets wilde leren dat me op dat moment overbodig leek? Je weet maar nooit waar je naar toe leeft, naar eenzaamheid, volte, stilte, rumoer, naar ziekte, dood of leven op een andere planeet.

'Een shock op mijn twintigste jaar,' had ik tegen Dander gezegd. Dat was het natuurlijk niet geweest. Wel was er iets waar ik niet vanaf had kunnen komen maar dat was mijn zaak.

Met die gefingeerde liefdesgeschiedenis had ik mijn familie verveeld tot ze me het geld gaven voor een lange reis.

'Een zeereis,' zeiden ze, 'heel gezond.' Ze hadden daarmee natuurlijk bedoeld dat ik aan die zeereis wel een geschikte man zou overhouden maar dat was anders uitgekomen want ze wisten niet waarom ik was gaan reizen.

Met die zeereis begon ik dus. Ik was toen nog afhankelijk van hun beslissingen en er was geen beroep, geen enkele opleiding die me aantrok.

Mijn brieven bleven treuren maar langzaam aan liet ik me zelf gezond worden. Het was toeval dat ik begon met het maken van foto's. In het begin was het voor de familie. Ik fotografeerde voornamelijk lege landschappen, ondervoede mensen, ik fotografeerde ten slotte de triestheid zelf. Daarbij schreef ik dan licht gedeprimeerde briefjes met net die toon van goede wil erin waardoor iedereen dacht dat het ondanks mijn somberheid toch de goede kant opging en ze door bleven gaan met geld sturen zodat alles in orde zou komen. Het kwam in orde. Ik experimenteerde met die foto's en kreeg er bij toeval, doordat de foto's van een journalist mislukt bleken, zodat ik hem de mijne afstond, enkele geplaatst in een bekend blad. Het amuseerde me. Ik zond meer foto's in en merkte met verbazing dat ik bezig was mijn eigen brood te verdienen. Nu staan mijn foto's uit alle delen van de wereld in allerlei bladen van de wereld. Het geld van de familie was niet langer nodig. Omdat ik houd van reizen ben ik daarmee doorgegaan. Zo ging dat. Heel eenvoudig. Van de ene dwaasheid naar de andere. Daarna van de ene bezigheid naar de andere, ten slotte van het ene werk naar het andere. Dat bracht mee: van het ene land naar het andere en van de ene mens naar de andere. Alleen Dander leek er altijd geweest te zijn. Goed zo, Lev. Blijven denken over wat er niet toe doet. Blijven fluiten, praten, zacht of luid.

Want verbeeld je niets. Je hebt gedacht dat het je niet zou lukken. De schrik zit in je stijve lichaam en wat erger is: de angst zit nog in je hersenen.

Het vuur begint te gloeien. Het moet niet te hoog oplaaien, dan krijgt de wind er vat op. Nu kan ik op mijn gemak gaan zitten – mijn benen worden al warm bij die hitte van de eerste vlammen. Een stapel takken bij de hand. Het vuur kan ik lang laten branden als ik het goed aanleg. En als ik niet inslaap natuurlijk. Inslapen moet ik beslist niet. Koud en stijf zou ik wakker worden, heel vroeg in de ochtend. De helling zal dan glad zijn van dauw en met die stijve spieren zouden mijn bewegingen onzeker zijn. Een afdaling zou riskant blijven. Niet inslapen dus. Om het half uur wat rondlopen, dansen desnoods en als ik bij het vuur zit moet ik denken. Waarover wilde ik ook alweer denken? Over Dander die nu op een plek is die ik niet ken. Maar wat maakt dat uit. Ook Dander kent mijn plaats niet.

Dander dus: in die hete kustplaats heb ik het toen geen maand uitgehouden. Het was niet de warmte, de eentonigheid, het smerige hotelletje – het was geen verveling, niet het gebrek aan werk. Het was Dander.

Ik wist mijn houding niet te vinden tegenover haar. Nog steeds bekeek ik haar als man maar als ik werkelijk naar Dander kéék, zag ik de ogen van een vrouw, de blik van een vrouw, de glimlach van een vrouw. Zo werd ik heen en weer geslingerd tussen een onnodige afkeer en een even onnodige aantrekkingskracht, een combinatie die me mijn moeilijk bevochten zekerheid ontnam.

Met de dag voelde ik me terugstumperen naar een voorbij gewaande periode waarin ik liever langs de mensen heenkeek, dan ze aanzag. Dander werd een gevaar.

Toen ik mijn koffer pakte maakte ik me zelf niets wijs. Ik wist dat het een vlucht was. Toch vond ik het beter dan nog een maand, misschien langer – de vrachtboten varen ongeregeld op die kust – bij haar in dat hotel te blijven. Abrupt nam ik afscheid.

Nee, laat ik eerlijk zijn, een afscheid was het nauwelijks te noemen. Zorgvuldig deed ik die dag alle dingen zoals ik ze de vorige dagen had gedaan.

Dander was steeds op de bovenverdieping – de maaltijden werden haar in haar kamer gebracht. Op mijn gemak kon ik dus beneden afrekenen, een plaats bespreken in de trein die me weer het binnenland in zou brengen. Dat was wel de richting waar ik net vandaan was gekomen maar een keus bleef er niet. Eén trein liep er: die van de hoofdstad naar de havenplaats en terug. Eén maal per dag ging de trein van de kust naar de hoogvlakte. Dat was tegen de avond.

Die laatste dag, na het baden 's middags, ging ik niet zoals gewoonlijk op het terras aan het plein zitten. Ik kon dat terras, dat hele plein in gedachten uittekenen. Elke terraszitter kende ik er, iedere bedelaar, alle kooplui. Ik wist dat de champagne in de winkels goedkoper was dan waar ook op de wereld. Met gesloten ogen zou ik op de overdekte winkelgalerijen de plaatsen aan kunnen wijzen waar bamboebedden tegen de muur hingen, klaar om er in het middaguur afgehaakt te worden. Van onder tot boven in een witte lap gewikkeld, als bescherming tegen vliegen en het ook in de schaduw nog felle licht, lagen op de heetste uren van de dag de inwoners als mummies roerloos voor hun huizen of winkels te slapen.

Van de koelere uren kende ik het Griekse restaurant, dicht aan zee en het openluchttheater waar 's avonds op rieten stoelen die in grind waren geplaatst, vermoeide mensen hingen, de meesten met een fles whisky bij de hand.

Zonder veel interesse keken ze naar een schemerige film op het doek dat tussen twee bomen was gespannen. Soms kropen ze tussen de stoelen door en probeerden elkaar de konijnen afhandig te maken die de bioscoopeigenaar op het omheinde stuk grond losliet zodra de oude film niet voldoende boeide. Ik had meer dan genoeg van die plaats, van de haven waar nooit een schip binnenvoer, van de bridge-partijen met mensen die mij uitnodigden omdat ze elkaar vrijwel niets meer te zeggen hadden en elke afleiding er dus één was, zelfs ik die meestal zwijgend speelde om dan met een snelle verontschuldiging te vertrekken. Nee, nee, zo was het niet. Zeker zou ik het een maand of langer daar hebben uitgehouden – inertie staat mij niet tegen – als ik Dander niet had ontmoet.

Hij, zij, Dander had alles bedorven. Die laatste middag dus, vlak na het baden, ging ik in plaats van op het koelere terras beneden, in een van de stoelen op de bovengalerij zitten, stoelen die steeds vetter leken te worden. Ik had een fles goede whisky kunnen krijgen. Die zette ik naast me op de houten vloer. Twee wastafelglazen erbij.

Voor het eerst keek ik met interesse door de spleten in de vloer naar de gelagkamer onder de galerij – bijna speet het me dat ik wegging. Opeens kreeg ik het gevoel dat ik een vergissing beging. De gedachte kwam bij me op dat ik te vroeg vertrok, dat mijn weggaan nog niet nodig was. Zelfs overwoog ik een annulering van de reis. Ik zou een paar dagen kunnen blijven, waarom niet? Wat was er ten slotte aan de hand? Waarvoor was ik bang?

Maar Dander maakte nieuwe plannen onmogelijk. Het gekras van stoelpoten die af en toe bleven haken in de spleten – het was als op die eerste dag. Ondanks de totaal andere ontmoetingen die we daarna hebben gehad, kan ik dat geluid niet vergeten. Heel goed herinner ik me Danders blik: van mij naar de ongeopende fles whisky, de twee glazen. Daarna die glimlach. Ik gleed wat onderuit in mijn stoel, deed mijn ogen halfdicht alsof het licht dat door nog niet opgetrokken krees heendrong, me hinderde, alsof ik me loom, vermoeid voelde door de hitte.

Danders stem klonk niet anders dan gewoonlijk.

'De trein van vanavond?'

'Ja,' zei ik. Toen nog eens: 'ja!' Maar hoe kon ze het weten? Met een zelfverzekerde beweging ging ik overeind zitten in mijn stoel.

'Ik ga terug naar A. Voorlopig naar A. Vanmorgen kreeg ik een brief. Er schijnt daar toch nog werk voor me te zijn – een expeditie de woestijn in. Zo iets kan ik niet laten lopen, het is een unieke kans iets van het leven daar te fotograferen. Als me dat lukt tenminste. Het is een afgelegen gebied. De regering geeft toestemming maar geen enkele garantie. We gaan op eigen risico –'

Een tijdlang bleef ik zo doorratelen. Toen ik van opzij naar haar keek was die glimlach er weer en ik zweeg.

'A. dus. Hoelang?'

'Een week misschien. Mogelijk langer.'

'En daarna?'

'Terug naar de hoofdstad en vandaar vlieg ik naar E. op de hoogvlakte dicht bij de kust. Daar vind ik makkelijker een boot dan hier. Het zal tijd sparen.'

'Tijd waarvoor?'

De stilte werd benauwend. Ik was drieëntwintig jaar. Ik had geleerd me zelf te redden, me zelf een houding te geven. 'Tijd waarvoor?' Wist je geen antwoord, dan kon je een vraag altijd negeren. De fles whisky hield ik even tegen het licht.

'Goeie,' zei ik met een lachje. De fles opende ik daarna zonder iets te vragen. Ik schonk de drank tot op tweederde van de rand.

Bij het aanreiken van het glas kwamen onze vingertoppen even tegen elkaar. Zonder dat het mijn bedoeling was geweest, trok ik mijn hand dadelijk terug. Duidelijker zag ik nu Danders glimlach.

'A. dus?'

'A.' zei ik. Mijn stem klonk vast. Te vast. Ik had mijn glas nonchalant opgeheven. Zo leek het een heilwens: Prosit! Daar ga je! Ad fundum! Op A.!

Niets overslaan. Ook niet de treinreis. Wanneer ik die schijnbaar onbelangrijke dingen oversla, ben ik zo klaargedacht over Dander. Het eeuwige gemaal begint dan weer. Mijn woede zal erger worden en hier, op het fort, kan ik er niet van af op een directe, primitieve manier. Een rondje hardlopen om niet stijf te worden, wat diepe kniebuigingen: Zodra ik het doe is het bewijs er dat dit hard nodig is. Het kost me meer moeite dan gewoonlijk. Ik moet er niet voor de ochtend mee ophouden. Wat takken op het vuur, een andere schikking van de bladeren op mijn steenstoel en dan weer Dander.

Afscheid nemen is een tijdrovende bezigheid geweest in mijn leven. Naar schatting ben ik er een derde van mijn tijd mee kwijtgeraakt. Eerst in mijn geboortedorp: afscheid van buurjongetjes en buurmeisjes, van hun huizen en de mijne, afscheid van het geboorteland, tegelijk een afscheid van familie – waarom vergat ik die ene grootmoeder een afscheidszoen te geven? Ik sloeg haar gewoon over. Hield ik te veel van haar of was het omdat ik haar verfoeide – definitief en hartelijk afscheid nemen doe je van mensen die je koud laten. Afscheid nemen van mensen die je verafschuwt heeft geen zin en als je er enigszins onderuit komt laat je het na. Afscheid nemen van mensen waar je om geeft is bijna niet te harden.

Het afscheid van Dander, dat ontdekte ik met een weerzin

die me dagen is blijven kwellen, was niet te harden. Vanaf dat moment wist ik dat hij, dat zij, Dander, een rol zou blijven spelen in mijn bestaan, reëel of in gedachten, daar had ik toen nog geen idee van. In mijn gedachtenleven, nam ik gemakshalve aan.

Op alle denkbare manieren voelde ik me ellendig toen ik in de trein stapte en zag dat Dander zich dadelijk omkeerde, al weer op weg naar het eigen leven.

Geen woord! dacht ik woedend. Niet de minste poging om me tegen te houden, om me ertoe te brengen niet mee te gaan met die trein naar A. waar helemaal geen expeditie op me wacht. Als Dander had willen vertrekken, dan zou ik op elke manier geprobeerd hebben haar daarvan te weerhouden. Eerst door het belang van de expeditie naar die zogenaamde onbekende stammen te bagatelliseren, dan door er de spot mee te drijven, daarna door de zinloosheid ervan aan te tonen, de nadruk te leggen op datgeen wat in de nabijheid van de haven aan waardevols ongezien, niet beleefd was gebleven om ten slotte tot het bewijs te komen dat terug gaan naar A. een vlucht was, als avontuur bij voorbaat gedoemd tot mislukking en bovendien een gevaarlijke zet: Het zat in A. onder de malariamuskieten. De kinine was schaars geworden nu schepen de haven leken te negeren. Argumenten bij de vleet. Als het Dander maar was geweest en niet ik die gezegd had weg te zullen gaan. Ik zou om zo'n plan hebben gelachen, gevloekt, ik zou haar hebben bezworen ervan af te zien, ik zou hem hebben gesmeekt met alle middelen die ik de laatste drie jaar als bruikbaar had leren kennen om van dat idiote plan af te zien, het niet te doen, ter wille van mij, van haar, van hem zelf. Geen moment zou ik er tegenop hebben gezien te huilen, toe te geven dat ons samenzijn voor mij te kort was geweest, dat ik nu pas om haar begon te geven, van hem ging houden. Mystiek zou ik desnoods niet hebben geschuwd. Overtuigd van het niet toevallige van onze ontmoeting, van voorbestemming, een verkeersregeling van hogerhand. Zo zou ik het hebben gedaan. Geen gemeenplaats zou onbeproefd zijn gebleven als de rollen omgekeerd waren geweest.

Ik kende hem zo kort. Het was niet mogelijk na te gaan waar de zwakke plek zat die haar zou hebben geraakt. En als ik in de korte tijd die ons nog was gelaten voordat de trein vertrok, die plek niet zou hebben gevonden, dan had ik hem zeker rustig één van de wankele trapjes van het hotel afgeduwd zodat ze een arm of been had gebroken en wel had moeten blijven.

Dander had niets gedaan. Niets om mij tegen te houden.

'Je gaat dus naar A.?'

'Ik ga naar A.'

Tweederde van de whisky hadden we opgedronken. Daarna was het tijd voor het avondeten. Zoals gewoonlijk ging ik alleen naar de zaal beneden terwijl Danders eten boven werd gebracht.

Uit mijn gewone doen door het aanstaande vertrek en de voor mij ongewoon grote hoeveelheid whisky was het plan bij me opgekomen Dander te vragen ditmaal samen te eten aan een van de wankele tafeltjes op de bovengalerij. Dat voorstel kreeg geen kans. Juist toen ik aanstalten maakte nog eens in te schenken en schijnbaar nonchalant met mijn plan voor de dag wilde komen, stond Dander opeens rechtop naast z'n stoel. Het magere figuurtje in die witte lap deed me in de schemerige omgeving, in mijn schemerige toestand, denken aan Ghandi.

'Ik heb nog wat af te handelen. Straks breng ik u naar de trein.'

Geen verklaring van wat er juist nu nog even af te handelen viel, geen vraag of ik al dan niet weggebracht wenste te worden. Nee. Alleen een vaststelling van feiten, zonder mij gelegenheid te geven tot antwoord.

De tochtdeurtjes vielen al achter haar dicht.

Anders ben ik dan Dander, dat stond vanaf dat ogenblik voor mij vast.

Na het eten, toen ik bovenkwam, zag ik dat onze stoelen nog net zo naast elkaar stonden.

Dander zat er al. De fles whisky was leeg – er was alleen nog een beetje in het glas dat hij in de vaste, roerloos opgeheven hand hield terwijl de knokige elleboog steunde op de stoelleuning.

Mijn glas lag omvergeworpen op de vloer.

Als dat glas daar nu maar in stukken had gelegen – tot gruizels in elkaar getrapt, dan was alles in orde geweest.

Nu was het duidelijk dat hij er per ongeluk of met opzet even tegen aan had gestoten. Het omgevallen glas, vlak naast mijn stoel, suggereerde een lauw, weinig geïnteresseerd, onhandig gebaar. Een protest kon ik er niet uit halen.

Bijna sprongen tranen in mijn ogen. Het kon Dander niet schelen. Was dat het wat ik ook nog moest leren: 'elke dag kan het me hoe langer hoe minder schelen wat Dander doet, wat Dander denkt, wat Dander voelt voor mij.'

Naar A. verlangde ik niet. Dat wist ik al na de eerste twee glazen. Ook wist ik dat ik overtuigd wilde worden van de zinloosheid van mijn vertrek. Zelfs wist ik dat ik wilde protesteren, tegenwerpingen maken, de beste argumenten pro-vertrek op tafel leggen om me dan langzaam te laten overtuigen, eerst schijnbaar aarzelend, later vol oprechte overgave.

Dat alles kwam, dacht ik, terwijl ik quasi per ongeluk op het glas trapte, het verbrijzelde zonder er ook maar een seconde aandacht aan te geven, dat alles kwam doordat ik een vrouw was. De training van drie jaar, die ik me zelf had opgelegd met als doel die vrouwentrucjes kwijt te raken, hadden dat erfenisje van eeuwen dat me achtervolgde, minder aangetast dan ik had geloofd. Die training was voor niets geweest.

Nu zat ik in die stoel, de koffer was gepakt, de moed ontbrak me om niet te trots te zijn mijn plan op te geven. Zo stonden de zaken. Stom, onvoorstelbaar stom, dat ik Dander niet alleen nog steeds zag als man maar ook de gebruikelijke manlijke reacties van haar verwachtte. Dander was een vrouw. Een vrouw die een mislukt experiment op haar eigen lichaam had toegepast. Maar ze had het zelf gezegd: de kuur was een jaar geleden stop gezet, de menstruatie was teruggekomen, haar lichaam was niet voorgoed kapot, het had zich al enigszins hersteld, haar borsten waren als die van een vijftienjarig meisje. Ze was een volwassen en bovendien scherpzinnige vrouw.

Er bleef ons nog een uur en daarom vertelde ik haar mijn gedachtengang. Misschien was dat om me zelf te bespotten om mijn lafheid, mijn falen. Had ik niet altijd in de eerste plaats mens, pas in de tweede plaats vrouw willen zijn? Maar wie weet vertelde ik het ook om onze verhouding in deze laatste ogenblikken zo goed mogelijk te houden. Ik vertelde Dander dat haar reactie: het vanzelfsprekend accepteren van het besluit van een ander, het erkennen van de vrije wil van die ander, de reactie was van de doorsnee-volwassen vrouw. Dat haar lichaam en haar geest misschien al vrouwelijker waren dan ze nu, afgaand op haar uiterlijk, zoals ik zelf dat in het begin ook had gedaan, misschien wel dacht. Op haar gezicht zag ik even een uitdrukking die ik niet thuis kon brengen. Geen spot, geen vertedering, geen medelijden was het. Iets van dat alles en nog iets dat voor mij toen nog niet te definiëren viel, zat daarin. Toch bleek ze op te leven. Ergens in mijn zinnen was iets geweest dat haar had geraakt. Uit haar kamer haalde ze, sneller lopend dan op andere dagen, een zakfles van haar speciale merk whisky. Ze bracht een glas voor me mee, ze lachte. Weer zag ik haar tanden. Niet de handen, ook niet de mond en lach van een man. Ik vertelde haar ook dát.

Mijn afkeer van Dander was weg. Terwijl we praatten, stak ik zonder nadenken, in een spontaan gebaar, mijn hand uit en raakte haar gerimpelde arm aan. Ze trok die arm niet terug maar de dunne wenkbrauwen met de fijne donkere haartjes, wipten omhoog. Het brak mijn gedachtengang af, vestigde mijn aandacht op dat onbewust gebaar van me.

Met mijn gedachten bij haar reactie maakte ik hakkelig mijn zin af. Wat dacht ze? Dat ik over mijn weerzin heen was nu ik me het oervrouwelijke in haar had gerealiseerd? Dat het een poging was ons beter contact te gebruiken als voorwendsel om te kunnen blijven? Dat ik lesbisch was misschien?

Ik liet het gesprek voor wat het was: een gesprek tussen twee mensen die behoorlijk wat drank ophadden.

'Zou ik lesbisch kunnen zijn, denk je?'

'Geen idee. Heb je het ooit geprobeerd?'

'Nee. Maar de gedachte dat ik het zou kunnen zijn vrolijkt me wat op. Het gezelschap van vrouwen is – behalve lichamelijk dan, dat heb ik tenminste tot nu toe gedacht – zoveel stimulerender dan dat van mannen.'

'Waardoor?'

'Mannen,' zei ik, behaaglijk in die schemering van veranda en whisky, 'hebben bijna allemaal die weinig interessante behoefte te doen alsof ze Napoleon zijn op het een of ander gebied. Horden geschiedenis- en politiek-Napoleonnetjes heb ik ontmoet. Dan heb je de kunst-Napoleon, de Napoleon in de psychiatrie, in het loodgietersvak, de Napoleon-agent in openbare en geheime dienst. Napoleon in zaken of Napoleon in ruste, dat doet er niet toe. Het blijkt toch altijd weer Nap die uit de doeken komt. In het begin amuseerde me dat, nu is het saai. Soms pikt een van die natuur-Napoleons er een overdrijver uit en stopt hem in een gesticht. Het doet er niet toe of die overdrijver al of niet gevaarlijk blijkt. Waar het op aan komt is dat de overdrijver zégt dat hij dénkt dat hij Napoleon is. En dan bovendien nog laat merken ook dat hij niet weet wat voor mens Napoleon was. Dat gaat alle perken te buiten. Tussen de vier muren met hem. Het Napoleon-willen-zijn mag tot aan de grenzen van je bewustzijn komen maar niet verder. Dat zijn de regels. Gaat iemand over die grens dan geldt de zwijgplicht. Natuurlijk is er ook een manier die alleen is weggelegd voor de gehaaiden. Zo'n haai zet zich met opeengeklemde kaken achter zijn werktafel, begint te studeren, het ene jaar in, het andere jaar uit. Mocht hun meestal uitstekend brein het opgeven, dan nemen de ellebogen de taak hier en daar over. Gediplomeerd, gedecoreerd, de bul in hun zak, komen ze op de Napoleontroon te zitten. Elk heeft z'n eigen troep, een troep die kan bestaan uit ongeschoolde arbeiders, beginnende psychiaters, jonge doktoren, net afgestudeerde leraren of pasgeboren kinderen. Nu, noem maar op. Elke Nap met z'n eigen persoonsbewijs. Soms kun je ze herkennen aan de manier waarop ze zich uitdrukken. "Weet u wel met wie u spreekt," zeggen ze bij voorbeeld. Dat zijn natuurlijk niet de slimsten. Toch heb ik er mezelf nooit toe kunnen brengen tegen dit soort directeuren, machtshebbers, bevelvoerders te zeggen: "jawel, ik spreek met Napoleon-herrezen, zónder uniform maar mét machtiging en identificatiekaart in de la van uw bureau." Een bureau hebben ze bijna allemaal. Ze komen er vrijwel niet meer achter vandaan.

Vaak heb ik dat gevoel van opwinding vervloekt, dat me overviel, juist in de nabijheid van de een of andere Bonaparte. Als hij maar een goed lichaam had en kans zag een al te misselijke autoritaire houding te vermijden. Voor Nap zijn synoniemen, dat spreekt. Met vrouwen is het anders. Die beginnen pas te leven. Ze kunnen nog alle kanten uit.'

Op die veranda naast Dander, terwijl ik de inhoud van mijn glas licht heen en weer bewoog omdat ik de drank wilde laten glinsteren in het licht van de nu aangestoken petroleumlampen, dacht ik hoopvol: en een lichamelijke afkeer van vrouwen heb ik nooit gehad. Ze gaven me wel niet die kick die ik bij sommige mannen voelde maar zo iets zou te ontwikkelen zijn. Proberen. Dat was het.

Gespannen bekeek ik Dander van opzij. Nou ja. Bij haar kon je er nog niets van zeggen. Dat die 'wildernis-in-me' zich bij haar roerloos liet, lag misschien aan haar half vrouwelijk, half manlijk uiterlijk.

Ik vond haar een prachtvrouw. Prachtmannen had ik ook

gekend maar ik had me te veel, te lang bij hen verveeld. Het was mogelijk dat ik me bij iemand als Dander niet zou vervelen.

'Je zoekt weer eens een nieuwe richting. Een kersvers doel,' zei Dander. 'Is het dat niet?'

'En wat dan nog? Ik zoek een reden om te leven. Die reden moet je hardnekkig blijven verzinnen, op de onwaarschijnlijkste gebieden desnoods, anders verlies je de moed en ten slotte je verstand. Ik kan het toch eens avonturen: lesbienne worden. Es zien wat ervan komt. De tijd is er ook rijp voor en je eigen tijd moet je geen moment uit het oog verliezen.'

'Meehollen met de stroom,' prevelde Dander.

Ik knikte.

Nu moet je eens nagaan: na dat gesprek tussen Dander en mij, dat intiem en van enig niveau had kunnen worden, kwam die anticlimax.

De whiskyroes was opeens voorbij en daarmee de gewaande vloed van ideeën. Hoofdpijn, een druk op de maag bleven over.

Op het stationnetje stonden we, zonder iets te zeggen, bij elkaar. Dander zag er grauw, verschrompeld uit, een bejaard, uitgeteerd mannetje dat het niet lang meer zou maken.

'Ik weet zeker dat ik je zal terugzien,' zei ik lusteloos – al drinkend waren we 'jij' tegen elkaar gaan zeggen – 'je hebt m'n adres.'

'Ik heb je adres, ja.'

'Waar ga jíj naar toe?'

Dander haalde de schouders op. Uit een grauwe legertas kwam een grote, ongeopende fles van die whisky.

'Voor morgenochtend, tegen de kater. Neem er wat van zo om een uur of elf. Maar kalm aan, dan voel je je het best'.

Ik lachte, zette mijn voet op de treeplank en op dat ogenblik draaide Dander zich zonder groet om. Ik sloeg mijn hand voor mijn mond – ik wilde niet roepen. In een volle coupé vond ik nog een plaatsje tussen mensen waarvan ik de taal niet sprak en met wie ik ook geen taal gemeen had, zoals met Dander.

Morgen om elf uur! Ik bekeek de fles. En kalmpjes aan, Levka, dan voel je je het best (zei de dokter). Het was waar, ze had medicijnen gestudeerd.

'Voorbij,' zei ik opgeruimd tegen de ogen die me aankeken door dichtgeweven netten heen, die kriskras door de coupé leken gespannen. Uit mijn tas haalde ik een kurketrekker, opende de fles en goot voorzichtig iets ervan in het bekertje dat altijd in mijn tas zat.

'Daar ga je!' zei ik, terwijl tranen van het lachen over mijn wangen liepen.

'Prosit!' zei ik tegen de ogen die me door de zich behoedzaam sluitende netten bleven aankijken. 'Skol! A votre santé, mesdames et messieurs, leve het afscheid, leve de dood, de opstanding, daar gaan we dan met z'n allen. Ad fundum! En op A., Dander!'

Dahud was bezig in de schaduw van een schermacacia een ezeltje te beladen met manden, dozen en in vochtige lappen gewikkelde eetwaren. Mijn coupé was leeg. De trein stond stil. Het horloge wees vijf uur. Grauw daglicht. Het kon A. dus nog niet zijn, al zag het stationnetje er haast eender uit: een afdak, een vloer van beton – dozen, kisten, bundels en daartussen de bekende slapende mummies, roerloos, gezichtloos, in hun strak om het lichaam getrokken wit kleed. Dander zou hier kunnen liggen, dacht ik, ze zou niet opvallen. Natuurlijk was het niet de Dahud uit A. met wie ik die bergtocht had gemaakt. Hij leek er alleen maar op.

Met zeep en whisky waste ik mijn gezicht. Terwijl ik met whisky mijn tanden poetste, mijn hoofd uit het raampje dat van het dorp was afgekeerd, nam ik er een flinke slok van. Er bestond geen Dander en vijf uur leek geschikter dan elf.

Zoals gewoonlijk gebeurde er niets als ik zelf niet het initiatief nam. De ritssluiting van de twee reistassen trok ik met een harde ruk dicht. Het gaf me het bevredigende gevoel dat ik een streep zette door de naam Dander. Van een kater geen sprake. Ik was alleen razend. Naar A. wilde ik niet, dus stapte ik uit.

Het dorp bestond uit een rij, achter het stationnetje gelegen, aaneenklittende hutten die uit alle denkbare materialen waren samengesteld. Ik zag een enkele loslopende geit – een paar witte figuren, die doelloos als ik, heen en weer scharrelden. In de stilte van de ochtend hoorde ik duidelijker dan anders het geschuifel van blote voeten over zandgrond. De bodem was woestijnachtig. Dor en droog zoals Dander.

Afgezien van de acaciaboom was er geen begroeiing. Warmte die met de minuut naar hitte steeg maakte elk voornemen tot actie bij voorbaat futiel. Niemand scheen iets te doen te hebben of daar behoefte aan te voelen.

Mijn medereizigers moesten in andere plaatsen zijn uitgestapt of verdwenen zijn in de verderop gelegen hutten.

Dahud glimlachte tegen me toen ik bij de schaduw van de acaciaboom kwam. Ik glimlachte ook. Een ander communicatiemiddel probeerden we niet. Het was duidelijk dat zo'n middel tussen ons niet bestond. De reistassen zette ik naast elkaar tegen de stam van de boom. Loom, ondanks mijn lange slaap, ging ik op die tassen zitten en keek door mijn oogharen heen naar de trein die daar wel voor altijd kon blijven staan, steeds roestiger, elke dag meer gehavend, ten slotte wortels van ijzer schietend in de keiharde grond. Ook kon hij, zonder voorafgaand signaal, wegrijden. Dat was het waarschijnlijkst. En die bijna-zekerheid maakte me doodmoe.

Alles verliep ten slotte zoals je het verwachtte. Tenzij je de zaak niet op z'n beloop liet maar met een daad van geweld een spaak stak in het wiel van zo-gaat-het-nu-eenmaal.

Dahud kwam met een tweede muildier aan, wees op mij, daarna op het zonder belasting al in de poten doorzakkende dier, toen op heuvels ver achter de hutten. Hij glimlachte. Ik glimlachte ook. Het ging zoals je verwachtte dat het zou gaan.

Maar 'nee,' zei ik, 'nee.'

Uit de zak van mijn linnen rok haalde ik een dollarbiljet, wees twee papaja's aan en wat tomaten. Dahud keek naar het geld, knikte, legde de vruchten naast me neer en liep terug naar de hutten.

Parijs!, dacht ik, Amsterdam, Rome, lawaai, harde stemmen, mensen die je dingen aanpraatten waar je geen behoefte aan had: 'Bij deze bus schuurpoeder hebt u recht op een in zuivere roomboter gebakken cake van 98 cent.' Nooit had ik durven vragen naar de cake in onzuivere roomboter gebakken. Dáár zweeg je anders dan hier. Er was daar een zwijgplicht. Want: 'als we maar hoop hebben, zolang we maar hoop hebben –' schreef Lodeizen. Die hoop moest je de mensen gunnen. Je moest ze het weerpraatje gunnen, het te hard afstellen van hun TV-toestellen, het schoonmaken van hun schone auto's op zaterdag, je moest ze bovenal het zwetsen gunnen en de overtuiging dat ze beter zwetsten dan jij zweeg. Je moest er beurtelings hard bij lachen, tut-tut-zeggen, instemmend knikken en vooral imbeciel kijken. Op de juiste volgorde moest je nauwkeurig letten want ze waren daar niet voor de poes. Het was tijdrovend maar de hoop moest je ze laten, in Rome, in Bern, in Schoonhoven of in Amsterdam. Hier was geen hoop. Hier was ook niet de hopeloosheid die het wegvallen van de hoop daarginds zou brengen. Weer dat gemaal in mijn hoofd. Stond ik op het punt voor de zoveelste keer de fout te begaan terug te reizen naar Europa omdat ik nog steeds niet had kunnen ontdekken wat er dan eigenlijk lag tussen de hoop en de hopeloosheid? Daartussen was iets waar je mee leven kon. Ik wist niet wat het was.

Eén papaja had ik op toen Dahud terug kwam met meer vruchten en een kruik water. Zwijgend, behoedzaam, op een manier alsof hij een moeizame arbeid die ik aan het verrichten was wilde respecteren, zette hij het voedsel binnen handbereik. Geen communicatie? Wat was de moeizame arbeid waaraan ik bezig was en die hij had herkend. Simpel dit: leren leven om te mogen sterven?

Zonder mij aan te zien leidde hij de twee dieren weg zodat ik nu alleen zat, de rug naar het roerloze witte stationsbarakje waar nog geen van de mummies van houding was veranderd. Voor me een kale vlakte, in de verte bergen, wel heel erg in de verte. 'Alleen op de wereld' door Hector Malot of Hercule Poirot. 'Alleen op de wereld' door Dander.

De fles whisky stond naast me. Dander bestond dus wel degelijk, ver weg in de havenplaats, een nacht reizen van hier.

Na het eten van de papaja voelde alles minder goed aan. Misschien kwam het niet door de papaja. Misschien kwam het door denken aan in zuivere roomboter gebakken cake en alles wat daarmee samenhing. Elf uur, had Dander gezegd. Het was vijf over elf. Ik dronk wat, knapte op, ging door met drinken tot ik in slaap viel en wakker werd door stemmenrumoer om me heen.

Het was koud. Ik probeerde op te staan. Mijn hoofd bonsde. Eén stap deed ik in de richting van de om me heen staande witte figuren, daarna zakte ik op m'n knieën. 'Dander,' zei ik, 'ik ben ziek, je hebt me van de trap gegooid, om te zorgen dat ik niet op reis kon gaan. Toch ben ik gegaan. Ik heb koorts. Wat moet ik nou. Je draaide je niet eens om, je wuifde niet, je lachte niet, geen enkele belofte heb je me gedaan, als ik maar hoop had – Maar nee, weg met Levka, de veelbelovende, ziekgeworden en begraven in een ons aller onbekende negorij, in een ons aller onbekend gebied.

Die hutten waren niet smerig van binnen.

Op een mat lag ik dagenlang, apathisch, soms slapend of bewusteloos. De ene toestand ging over in de andere. Een vrouw bracht me af en toe iets te drinken, ging met me mee naar de achterkant van de hut als ik er nodig uit moest. Met schelle stem en woeste gebaren maakte ze mij vreemde, niet-begrijpende gezichten, duidelijk dat ze een andere kant uit moesten kijken. Eenmaal waste ze mijn ondergoed toen ik op een hete dag, in koorts, alles had uitgetrokken. Haar gezicht had ik in het donker van de hut nog nauwelijks gezien maar ik hoorde haar gegiechel toen ze de schone kledingstukken die haar wel overbodig moesten voorkomen, naast me neerlegde. En eenmaal schreeuwde ik tegen haar: 'ik ga dood.' Ze knikte, duwde me terug op de mat. Ze legde een paar zakken over me heen, ik had het koud ook al was mijn gezicht vettig van zweet.

'Er gebeurt niets als je zelf niet het initiatief neemt,' fluisterde ik met mijn mond op de mat. 'Ik ga terug naar Dander, boot of geen boot, trein of geen trein – ik zal langs de spoorbaan lopen, dagen, nachten, ik zal in de havenplaats aankomen, het plein oversteken waar die agent nog gehurkt zit op de stenen bank terwijl hij wacht op het sein dat de vastendag voorbij is. Dan zal ik het hotel binnengaan, dadelijk de trap oplopen en Dander vinden in de rieten stoel op de bovenveranda achter de gesloten krees, een fles goede whisky naast zijn stoel. Misschien is het beter voor ons niet te drinken. Toen ik Dander nog niet kende dronk ik zelden, we zullen ermee ophouden en met elkaar praten. Ik zal zeggen: 'Dander, van jou zou ik kunnen houden. Misschien doe ik het nog niet maar geef me een kans!'

Zijn fles, de fles van Dander, nu gevuld met koud water, water vol bacteriën, dacht ik, maar wat doet het ertoe: alcohol of water met bacteriën, 'ce tue mais ce tue lentement, on s'en môque, on n'est pas pressé.' Iets dergelijks had ik op een tegeltje gelezen, in Algerije, in het huis van Dander. Niet in het huis van Dander maar in het huis van een ander. Ik wist niets te zeggen tegen die vrouw die maar giechelde en knikte, steeds mijn ondergoed bekeek waarbij ze wijdbeens in de opening van de hut ging staan, mij daarmee in het donker latend. Toch zag ik wel dat ze kort en dik was en heel, heel oud.

De mat die in de korte ogenblikken van bewustzijn, in die eerste dagen, leek te ruiken naar gras – dat hier niet groeide – naar vochtige aarde, die hier niet was – en naar muskus die hier evenmin kon zijn, rook nu naar verrotting. Ik wilde me wassen, zocht terwijl ik heen en weer zwaaiend op de mat balanceerde, naar zeep in mijn reistassen, vond het in mijn, door nieuwsgierige vingers doorzochte toilettas, stapte van de mat af en begon me met het water uit de whiskyfles van Dander schoon te wrijven. Het restje water goot ik over mijn lichaam om me schoon te spoelen. Ik bukte me om de handdoek uit mijn tas te halen maar het dak van de hut draaide naar de vloer – ik tolde om en liet het er verder bij.

Koud en donker was het toen ik wakker werd, naakt liggend in een modderplas naast de mat, mijn lichaam vuiler dan ooit.

Ik begreep dat ik nooit meer schoon zou kunnen worden, dat ik nu meteen onder de grond moest. De oude dikke vrouw was er niet. Ik veegde wat modder van mijn lijf, trok een drip-dry schone jurk, in Danders hotel gewassen, over me heen en in dat doodshemd, in doodsangst kroop ik de hut uit, om de hut heen en begon, zover van de achterkant van de hut af als ik in staat was te kruipen, in de grond te spitten met mijn meegebracht kampmes.

'Wat ben je aan het doen?' vroeg Dander.

'Ik graaf mijn graf,' antwoordde ik haar vriendelijk en stak het mes diep de grond in, vlak naast haar blote voet. 'Opzij, opzij voor Levka's graf, opzij!' zong ik. 'Hoe vind je mijn doodshemd? Mooi?' Dander trok het mes uit mijn hand. Ze had wel kracht in die dunne armen van haar. Terwijl ze me droeg, hoorde ik haar vloeken door mijn lachen heen.

'Je neemt het te ernstig, Dander,' riep ik luid in het Engels tegen hem, 'je tilt te zwaar aan me! Je tilt maar alsof het niets is. Of er geen verbod bestaat op zwaar aan iets tillen – lach om alles en vergeet het, het leven is raar, iedereen weet het – dat stond vroeger op een tijdschrift vol plaatjes van badende of na hun bad opdrogende vrouwen. Weet je wat ik heb ontdekt, Dander? Dat ik terug moet naar de havenplaats, kilometers en kilometers langs de spoorlijn, in de zon overdag, in de kou 's nachts, alleen maar lopen en lopen, terug naar Dander.'

'Ik ben hier,' zei Dander.

'Jij bent hier, dat is zo,' zei ik. 'Tegelijk ben je ver weg aan de kust. Je houdt me tegen je aan en je bent onbereikbaar. Maar het maakt geen verschil want als we maar hoop hebben, zolang we maar hoop hebben –'

'Je ijlt,' zei Dander, 'ik ben hier. Maak je geen zorgen. Over een paar dagen voel je je een ander mens.'

'Ja, ja!' riep ik, luid lachend. 'Een ander mens zal Lev zijn. En waardoor, door wie? Door Dander waar ik naar toe ga, kilometers en kilometers langs een hete spoorlijn. Want denk je dat ik je niet heb gezien? Je bent een korte dikke, oude vrouw die mijn whiskyfles met bacteriën vult en giechelt om mijn ondergoed van nylon. Mij kun je niets wijsmaken.

Dander is Dander en geen ander!

Je herstellen is een beestachtig proces. Met moeite, trillend, met ledematen die je vreemd zijn, krab je het vuil van je af, trek je je kleren aan, struikel je naar buiten waar licht is en voedsel. Ik wist niet hoelang het allemaal had geduurd – heel wat keren had ik de trein gehoord die maar twee keer per dag langs kwam en waarschijnlijk had ik hem vaker niet gehoord.

In de schaduw van de acaciaboom ging ik zitten – ik zat daar heel wat dagen en at wat Dahud me bracht.

's Nachts sliep ik in de hut die door de dikke vrouw was schoongemaakt en waarin nu een nieuwe mat lag die blééf ruiken naar gras, vochtige aarde en muskus.

Op een dag kwam er, terwijl ik weer in de schaduw van de boom naast het stationnetje zat, een bijna lege trein langs. Ik gaf de oude vrouw het geld dat nog in mijn rokzak zat, legde beide handen op haar schouders, lachte tegen haar, schudde daarop haar beide handen en omdat het niet uitdrukte wat ik voelde, gaf ik haar mijn horloge want van dat horloge hield ik.

Dahud was met zijn muildier naar de nog altijd onbekende bestemming gegaan, daar was niets aan te doen. Het kampmes, dat hij altijd had bewonderd, legde ik op de plaats waar hij me steeds zijn vruchten was komen brengen. Toen zat ik in de trein, sliep dadelijk in op een lege bank en werd wakker in A.

Het station was toch anders, groter. Het hotelletje lag er vlak naast, nog dieper onder de bougainvillea dan ik het me van de vorige keer herinnerde.

Ik stapte uit en al moest ik mijn ogen samenknijpen tegen het felle licht, toch zag ik dadelijk Dander staan op het perron. Ze was nog even mager. Ze droeg een rok en bloes, had witte sandalen aan haar blote bruine voeten. Ze was Dander. Niet die dikke oude vrouw. Het leek of ze op me toe kwam rennen.

'Naar A. wilde je,' zei ze schamper. Ze bekeek me boos fronsend. 'Maar ze hadden je hier niet gezien. In één van die ontelbare dorpjes, die langs de spoorlijn liggen was je uitgestapt. Dat wisten ze dan wel. De een noemde dit dorp, de andere noemde er een dat uren verderop lag. Je was onder een acaciaboom gaan zitten naast het station. Hoe kon ik je vinden? Al die plaatsjes hebben een boom naast het perron. Ik heb gewacht. Een week, twee weken, toe maar!'

Met een ruk draaide ze zich om en liep naar de poort in de muur rond het hotelletje.

Geen begroeting die ermee door kon. Maar het afscheid van haar had er ook niet mee doorgekund.

Ik legde me daar bij neer.

Er volgde een tijd van medicijnen. Medicijnen-op-tijd. Ik lag in een grote kale kamer op een bultige matras en keek uit op de steeds benauwender loodzwaar neerhangende bougainvillea. Alles was té. Te felle kleuren, te hel licht, te veel muskieten, te doordringende geuren van scherpe kruiden, te veel katten die zich bij tientallen in mijn kamer nestelden, te harde stemmen, te weinig gesprekken met Dander. Ze gaf me die medicijnen, een paar instructies, daarna liet ze me een hele dag alleen. Ik had er geen idee van wat ze deed. Niet waarschijnlijk dat ze op die knokige benen en met dat ondermijnde lichaam tochten maakte in de omgeving. Ze bracht me ook nooit mijn eten, alleen maar die medicijnen vier maal per dag. Het kostte haar niet langer dan enkele seconden maar ze kwam altijd op hetzelfde uur, op de minuut af. Dat maakte dat ik me nauwelijks dankbaar voelde. Ze ging behoren tot wat altijd kwam en ging zoals je het verwachtte. Het was niet erg, maakte ik mezelf wijs. Doordat zij zich zo terugtrok leerde ik die Griekse beter kennen.

Ze was de eigenares van het restaurant dat ze kortgeleden overgenomen had van een oom die twintig jaar in deze streek de ene malaria-aanval na de andere had afgewerkt. Zijn bezittingen had hij achtergelaten in zijn geboorteplaats toen hij hierheen emigreerde. Alleen twee lievelingskatten had hij meegenomen. Hij was aansprakelijk voor de generaties katers en poesjes die het plaatsje langzaam aan in bezit leken te nemen. De man van de eigenares was half Griek, half Turk en bij elke bezigheid leek hij dieper weg te dommelen in de broeierigheid van de dompige vallei en z'n wellicht even dompige gedachten.

Altijd kwamen ze samen de maaltijden brengen. De gerechten waren eentonig. De erbij horende zittingen het tegendeel. Die eetpartijen werden een altijd weer boeiende ceremonie: mijn ijzeren ledikant in de verder lege kamer leek het middelpunt van een podium waarop een spel werd opgevoerd, geschreven door een bekwaam auteur. Elke regel van dat spel werd dadelijk na het ontstaan in beeld gebracht door even bekwame spelers. Ik was daarbij toeschouwer, regisseuse, soms actrice in een bijrolletje, souffleuse, ik regelde de belichting, ik zorgde voor onzichtbare decors.

Om zes uur 's morgens werden de deuren opengeworpen en kwam het paar stralend binnen. Zij leek elke dag mooier. Misschien kwam dat doordat ik mij steeds beter ging voelen waardoor ik meer opmerkte. Hij leek steeds dikker en dommeliger; een ongelijk maar daardoor of desondanks tevreden paar.

Het blad met ongegist brood, een glas thee, de schotel sardientjes, vruchten en een glas whisky, werd op de tegelvloer gezet. Altijd stelde de vrouw zich aan het rechterhoofdeinde van het bed op. De man ging links staan. De greep, waarmee ze me, elk met een arm onder mijn oksel, optilden, was gelijk van kracht. Mijn hoofdkussen dat ik 's nachts op de vloer gooide, werd rechtop in bed geplaatst en ik werd er tegenaan gezet, een halsstarrige pop op dit vroege uur. Vroeg voor míj want ik lag de meeste nachten wakker en sliep tegen de ochtend in. Links en rechts kwamen stoelen te staan die van de bij de kamer horende voorgalerij waren gehaald, waar ze na de ceremonie werden teruggezet. Zwijgend, met weerzin, begon ik aan het ontbijt, dat ik toch zo lang mogelijk rekte om de voorstelling alle kans te geven. Als de helft van wat op het blad stond was opgegeten, kwam het tweede paar binnen. Het was een stel dat minstens zo de moeite waard leek als het eerste. Zij was een jong inheems vrouwtje, een jong meisje nog. Hij een lange Fransman die ik achter in de zestig schatte.

Dit was het ogenblik. Kwart over zes in de ochtend. Ze sleepten stoelen met zich mee waarvan de een links, de anders rechts aan het voeteneinde van mijn bed kwam te staan.

Het spel begon meestal met een verhaal. Vaak was het maar een kleine gebeurtenis, verteld met pathos zoals dat gebeurt in plaatsen waar weinig bijzonders plaatsvindt. Je kon het beschouwen als de proloog, een voorwoord, waarbij de schrijver de lezer welwillend vertelt dat hij dit gedeelte ook wel over mag slaan. Ik sloeg het meestal over. Vaag bleef er iets hangen bij me van aankomst en vertrek van een enkele man, soms een vrouw die hier om onbekende redenen uitstapte, met onbekende bestemming verdween en die daardoor voor mij niet meer dan dé reiziger werd.

Kleine variaties waren: de reiziger kwam met veel of weinig bagage, was ziek of gezond, eiste teveel of in het geheel niets. Dat alles, zelfs het komen en gaan werd hem kwalijk genomen.

Van een wrok tegen mij, die veel ingrijpender hun vast bestaan doorbrak, lieten ze geen van vier ooit iets merken. Ik nam een speciale plaats in, welke wist ik niet en ik twijfelde er toen nog aan of zij het wisten.

Na de proloog kwam het eigenlijke stuk. Een soort stuivertje verwisselen. Na het gewone gedoe over die altijd hinderlijke 'reiziger' namen óf de jonge inheemse óf de eigenares van het hotelletje het initiatief. Nog steeds pratend stonden ze op, deden iets overbodigs in een kamer waar niets te doen viel, keerden na een paar minuten terug naar mijn bed en gingen in elkaars stoelen zitten. Aan mijn hoofdeinde zaten dan bij voorbeeld Aysha, de inheemse en de Griek; aan mijn voeteneind zaten de Fransman en de eigenares. De zinnen wisselden met de dag maar de betekenis kwam op hetzelfde neer.

'As tu bien dormi, mon amour,' zei een van de vier hardop of met de ogen en nooit verheimelijkte gebaren. Ze raakten elkaar speels even aan. 'Ah!'

Het was een geneeskrachtige klank. Een belofte. De herinnering aan zó'n nacht.

Ik raakte eraan gewend dat 'een nacht als deze,' met uitroepteken, blijkbaar steeds in andere combinatie werd beleefd en dat de twee vrouwen daarbij de initiatiefneemsters waren.

Als ik aan het fruit begon, ging het eerste paar de deur uit. Soms vertrok de eigenares het eerst, samen met de Fransman, een andere keer ging ze de kamer uit terwijl haar man haar volgde. Het resterende paar nam even later mijn ontbijtblad mee en dezelfde ceremonie herhaalde zich met kleine variaties 's middags en 's avonds.

Ertussen door kwam Dander voor enkele seconden de kamer binnen. Ons gesprek bepaalde zich tot mijn aandringen en haar weigering hier weg te gaan. Na die eerste dag op het perron droeg ze altijd een kaki broek en een sporthemd. Elke dag zag ze er zoveel beter uit dat ik me afvroeg wie hier een genezingskuur onderging, zij of ik. Tot op een dag de Griekse buiten de maaltijden om, zonder enig ceremonieel, de kamer binnenkwam, de deur woest achter zich dichtsloeg, het laken van me afrukte, mijn gezicht tot op enkele centimeters van het hare trok en schreeuwde: 'Een man, he? Een man!' Het klonk honend.

'Nee,' zei ik.

Toen ze naar buiten wees, waar ik tussen de bougainvillea door de lange Fransman passief in een stoel zag hangen, zei ik: 'Ja, ja, een man.'

Ze bleef me heen en weer schudden, steeds driftiger.

'Een vrouw is het! Een vrouw! Een vrouw!'

'Ja, ja, een vrouw,' stemde ik toe.

Ze stampvoette, sleurde me het bed uit. Ik stond nog wat wankel op m'n benen en liet me terugzakken in de kussens zodra ze me losliet. 'Loopt rond in mannenkleren. Je denkt: een zieke man. Die wordt weer goed. De vrouw ook ziek. Wordt ook weer goed. Dat is dan een stel erbij. Aysha en ik dachten dat jullie zouden blijven, alle twee. Geen toeristen, dat zagen we direct. Die zoeken tot ze het vinden. Dat hebben we gedacht. Die zwerven rond tot ze het hebben. Aysha en ik, we dachten hetzelfde. We dachten: die blijven. Daar blijkt me die man een vrouw te zijn! Merde! Eruit! De trein naar de kust is weg maar over een paar uur komt de trein naar de hoofdstad. Eruit!'

De deuren sloegen met een klap achter haar dicht maar ik rende haar achterna, het voorgalerijtje op. De trein was nog niet weg maar zette zich net in beweging. In mijn pyjama begon ik te hollen, die trein achterna. Het was te ver.

'Dander!' riep ik, 'Dander!'

Maar ik wist het al. Er zou geen antwoord komen, geen wuivende arm zou uit een coupéraampje gestoken worden. Voorgoed weg, naar de kust. De volgende trein daarnaar toe kwam pas morgen en over een paar uur zou die Griekse me de trein naar de hoofdstad insleuren. Ze was ertoe in staat.

Nog was ik futloos genoeg me een andere trein in te laten duwen dan de trein die in de richting ging, die Dander uit moest zijn gegaan. Heel zeker wist ik dat ik Dander achterna moest. Helemaal terug naar de kust desnoods, een nacht en een dag reizen. Maar was zij naar de havenplaats gegaan? Ze zou er nu net de boot kunnen halen. Die boot zou een dag te laat zijn. Twee of drie dagen, dat kon ook. Maar één ding stond vast: net op het ogenblik dat het schip zee koos zou ik de kade op komen rennen. Te laat.

Het deed er niet toe. Een keus was er niet. Haastig nam ik een douche, trok mijn kleren aan, pakte mijn reistassen in. Plotseling voelde ik me fit ,wist ik wat ik wilde. Niet naar de hoofdstad. Proberen die boot vóór te zijn die wel vier dagen te laat kon aankomen of misschien een maand of twee.

Betalen was niet mogelijk want mijn portefeuille met geld was uit mijn tassen verdwenen. Omdat er die avond geen eten zou komen, dat liet zich voorzien, slenterde ik naar de paar verderop gelegen hutten. Binnen het uur had ik begrepen waar Dander naar toe was: Naar D. In het half donker begon ik de spoorlijn langs te lopen. Het duurde uren voordat ik het eerstvolgende stationnetje bereikte. Achter een paar struiken ging ik liggen slapen en sprong de trein in een paar minuten nadat ik door de herrie van fruitverkoopsters en bedelaars die de kusttrein bestormden, wakker was geworden. Richting D. Goed. Pas op dat moment gaf ik me er rekenschap van dat ik letterlijk en figuurlijk op de loop was gegaan voor de woede van de eigenares van het hotelletje, de felle ogen van de knappe inheemse, de wrok van die vier mensen tegen de komende en altijd weer vertrekkende reiziger. Hun ceremonie was een serieuze werving geweest waarop ze al hun energie hadden gericht. Zou Dander dit ook zo hebben beleefd?

Had zij het al die tijd geweten? Ik achtte haar in staat een dergelijke situatie direct te doorzien en zelfs te stimuleren. Dander had haar eigen genoegens. Dit kon er één van zijn geweest.

Natuurlijk was Dander niet op het perron. Dingen gebeuren zoals je verwacht dat ze zullen gebeuren. Ieder mens is gedwongen z'n eigen heimelijke ziener te zijn. Maar soms gebeurt er toch iets waarvan je tegen beter weten in hoopt dat het gebeuren zal. Dus blijf je hopen. Dat moet.

Ik hing, met mijn hoofd en rechterarm uit het coupéraampje, klaar om triomfantelijk te zwaaien, zelfs tegen een boos fronsende Dander. Er was niemand die me opwachtte. Over het perron liepen op dat ogenblik twee of drie mensen die schijnbaar niet wisten wat ze er deden. Met trein of reizigers wilden ze in ieder geval niets te maken hebben, dat was duidelijk.

Het plein vóór het station liep ik op zonder dat iemand naar me omkeek. Het was er leeg op een rij tweewielige open karretjes na, die met naar de grond starende paarden waren bespannen. Geen koetsier op de bok en niemand bleek interesse te hebben in mij of mijn bagage.

Nergens een hotel aan het plein. Huizen met gesloten blinden, een enkele acaciaboom. Ik liep naar het voorste karretje toe, gooide mijn reistassen achterin en nam vastbesloten de teugels in handen. Ik gaf een flinke ruk aan die teugels, maar het paard hief het hoofd alleen een paar centimeter op. Een beetje verbaasd.

'Hort!' riep ik, 'Ajóh!! Hssssj!'

Ik gaf het dier een tikje met de zweep. Mijn stem schalde over het plein. Er was een echo en mijn razend roepen werd eindeloos herhaald. Geen raam werd geopend, niemand kwam kijken, geen mens kwam op de karretjes toelopen. Een andere verklaring dan dat dit karretje en dit paard niet deugden, vond ik niet. Mijn tassen sjorde ik naar het volgende karretje. Het rukken aan de teugels zacht nu, het bekloppen van de paardenek, het mompelen van de in mijn eigen oren inheems aandoende klanken, dat alles maakte geen verschil. Ook dit paard liet het hoofd hangen en reageerde niet.

Wat was er gebeurd met me dat ik de wetten van Afrika zo kon vergeten. Ik weet het niet. Misschien was het ongeduld om Dander te vinden, het hele stadje uit te kammen om haar te zoeken, de angst dat ze er niet zou zijn. Ik zag er ten slotte het zinloze van in.

Op mijn gemak liep ik de wagentjes langs, zocht de meest comfortabele uit, bracht er mijn bagage heen en ging op de achterbank liggen slapen.

Licht trillen van het wagentje maakte me wakker. Nog half slapend keek ik over opgeheven paardehoofden naar toppen van nu heen en weer zwaaiende bomen. Tevoren roerloze paardebenen maakten nerveuze bewegingen die alle karretjes aan het schommelen brachten. Van verschillende kanten kwamen koetsiers aanslenteren en klommen op de bok.

'Hotel!' riep ik terwijl ik overeind ging zitten. De koetsier reageerde niet, keek nauwelijks om.

'Hotel please!'

Dat kon niet missen. In een betrekkelijk grote plaats als deze moest 'hotel' een internationaal woord zijn. Toch herhaalde ik het in alle talen die ik kende, probeerde het met gebaren, trok hem voorzichtig aan het gescheurde witte hemd dat hij flodderig om neerhangende schouders droeg.

Ik wees, greep de zweep, tikte ermee tegen het achterdeel van het paard, maakte een beweging van betalen – maar hóé betalen, dacht ik, hóé – ik moest Dander vinden al was het alleen maar om het geld. Dat zou ik haar ook zeggen: 'ik ben je achterna gereisd, Dander – het moest wel, ik heb geen cent meer, leen me wat totdat ik bij een bank – enz.'

De koetsier zat een beetje voorovergebogen. Hij wachtte. Op het juiste woord, het goede gebaar, dat van mijn kant moest komen. Ik kon het niet vinden.

Misschien moest hij alleen bijkomen van zijn rust in de schaduw van wat struiken? Ik sloot mijn ogen weer, leunde wachtend achterover. Blijkbaar was dat de bedoeling niet. Met een zucht die me duidelijk maakte dat ik niet in staat was de gewoonste zaak ter wereld te begrijpen, maakte hij – haast zonder zich te bewegen – een vermoeid handgebaar in de richting van het voorste wagentje waarvan de koetsier ongeïnteresseerd op de achterbank naar de lucht lag te staren. Goed dan. Ik pakte mijn linnen tassen op, liep de lange rij nog eens langs en schoof de tassen onder de achterbank van het voorste karretje. Met een snelle sprong zat de man op de bok, trok aan de leidsels en het paard begon te draven. Die plotselinge overgang naar een snel tempo kon ik niet volgen. Wel begon ik te rennen maar al gauw zag ik het nutteloze ervan in. Het kon me niet schelen. Weg tassen dan maar. In de schaduw ging ik aan de kant van de weg zitten. Ik dacht: er moet hier een honoraire consul zijn of een verdwaalde Nederlander – die vind je overal. Maar waar vind ik Dander?

Het tweede wagentje in de rij kwam na een minuut of tien op de plaats te staan van dat andere dat er met mijn bagage vandoor was. Het gezicht van de koetsier, een beetje in mijn richting gekeerd, toonde geen belangstelling maar zijn hand had de zweep opgenomen, hield die zelfs een paar centimeter in de hoogte. Zo'n teken van activiteit van zijn kant was niet mis te verstaan. Van mijn kant zou een soortgelijke activiteit nu niet onverwacht komen. Haast was er niet bij. Mijn ontspannen spieren begonnen zich langzaam klaar te maken, zich erop voor te bereiden mijn lichaam te dienen zodra het nodig was. Dat was voorlopig voldoende. Intussen gleden mijn gedachten traag heen en weer tussen wat al was gebeurd en dit ogenblik. Daar ging ik zo in op dat mijn spieren zonder door hersenwerk geforceerd te worden, feilloos hun werk deden. Ik merkte dat jeugd, omzwervingen, Dander en ik een ander decor hadden gekregen. Witte huizen leken voorbij te schuiven, dichte hibiscushagen vol rode bloemen, rijen parkinsoniabomen gleden voorbij. Het paard sjokte op z'n gemak verder. De koetsier leek ingeslapen op de bok, het stationsplein was niet meer te zien. Waarschijnlijk had noch de koetsier, noch ik er een idee van hoelang we al reden maar de dingen moesten hun loop hebben.

'Hotel,' zei ik ten slotte.

En nog eens: 'Hotel!'

De koetsier leek een beetje geërgerd door dat nodeloos gezanik achter zijn rug, wakker te worden. Het karretje draaide in een lege stoffige straat, het paard kreeg een fikse slag met de zweep zodat het begon te draven. Even later stonden we voor het hotel: een groot, koel gebouw waaruit dadelijk twee witgejaste mannen schoten. Bagage om naar binnen te dragen was er niet en dat wilde ik zeggen. Het bleek niet nodig.

De ene man gaf de koetsier die nu klaar wakker was, geld. De andere leidde me de trap op naar een zaal die iets had van de gelagkamer in de havenplaats. Ik bleef zwijgen, zocht naar woorden om een verklaring te geven – om te zeggen dat het niet mijn bedoeling was te blijven, dat ik alleen wilde weten of Dander hier was, dat het wagentje helemaal niet weg moest maar dat was het al, dat ik met dat wagentje elk hotel, pensionnetje, tot het armetierigste onderkomen toe had willen afrijden, alleen maar om Dander te vinden. Alleen daarom. Een telefoontoestel bij de bar, wat ongebruikelijk op z'n kant liggend alsof het jaren geleden in onbruik was geraakt en achteloos uit de weg gezet tussen stapels lege flessen, bracht me op een andere gedachte.

Het zou kunnen zijn dat het toestel niet werkte maar op het uiterlijk moest je nooit afgaan. Als het toestel werkte zou ik kunnen proberen alle hotelletjes, invloedrijke instanties en personen op te bellen. Dander zou ik sneller vinden.

Ik stond opeens tegenover haar. Door de lege bar was ik naar een binnenhof gebracht waar kamers omheen lagen, elk met een kleine voorgalerij. Dander zat in een makkelijke stoel op een van die overdekte galerijtjes. Mijn reistassen stonden naast haar.

Al had ze dan geweten dat ik in de buurt was, toch moest er een twijfel aan mijn komst in haar zijn blijven vastzitten. Haar gezicht, nu duidelijk lijkend op het gezicht van de foto die ik twee maanden geleden had gezien, kromp even ineen, werd daarna glad en bijna mooi.

Ze sprong op. 'Eindelijk ben je er! Eindelijk, Levka! Waarom duurde het zo lang?'

Een mooie situatie. Vriendschappelijk glimlachte ik tegen haar. Ja, ik zou me daar even in de kaart laten kijken.

'Na de scène met die Griekse,' zei ik, 'moest ik natuurlijk wel van de bevolking te weten zien te komen waar je heen was. Behalve dat het zo prettig is je weer te zien, wilde ik je vragen me wat geld te lenen. Ze hebben mijn portefeuille ingepikt. Het zal even duren voor ik via de bank hier de zaak in orde heb.'

Dander wierp me de portefeuille toe. Gedachteloos sloeg ik hem open. Ik keek het niet na maar het leek me dat alle papieren er nog in zaten.

'Nam je hem mij af of nam je hem weg nadat zíj het ding al uit mijn tas hadden gehaald?'

Ze kon natuurlijk van alles zeggen. Te controleren was het niet.

'Ik nam hem uit jouw tas. Anders zouden zíj het hebben gedaan.'

'En hoe stelde je je voor dat ik zonder een cent in D. zou komen?' – Om nog maar te zwijgen van het feit dat ze me niet eens had laten weten dat ze daar naar toe ging, dacht ik. 'Toch zeg je: "eindelijk".'

'De trein is uren geleden aangekomen.'

'Je was niet op het perron.'

Het was eruit. Niet meer terug te nemen.

Ze glimlachte, boog zich naar me toe.

'Alles was immers geregeld. Wat doe je kinderlijk. In A. het hotel betaald. Dahud die brief gegeven met het reisgeld. Voor alle zekerheid ook Achoz een brief gegeven met geld erin. Voor nóg meer zekerheid die brief naast je bed gelegd. In alle brieven: geld en het bericht "ik ga naar D.", de naam van het hotel. Bovendien de stationschef –'

'Laat maar!' zei ik, plotseling doodmoe. 'Ook die stationschef in A. kreeg een brief met geld en aanwijzingen. De stationschef in D. kreeg een brief met geld plus het adres van je hotel en die lui van de karretjes kregen allemaal geld en aanwijzingen. Je hebt uitstekend voor me gezorgd, dank je, Dander. Oerstom ben je natuurlijk wel.'

Lachend liet ik me neervallen in een luie stoel naast de hare waarin ze weer was gaan zitten. Danders gezicht kreeg onzekere lijntjes om mond en ogen.

'Bedoel je –'

'Ja,' zei ik, 'dat bedoel ik. Je bent een beginneling, ik zag het dadelijk toen ik je voor het eerst ontmoette. Je hele leven door zul jij een beginneling blijven. Je weet heel wat. Allemaal dingen die je in boeken hebt kunnen lezen, die je door anderen zijn verteld. Voor de rest weet je zo goed als niets.'

Ze wilde antwoorden, aarzelde, ze begon te stotteren.

'Laat maar,' zei ik weer. 'Je hebt zeker dié kamer voor me besproken. Ik wees er een aan waarvan de luiken die op het binnenhof uitkwamen waren geopend. Het was niet ver van waar we zaten. Geen twijfel of dit was de gunstigste, meest koele kant.

'Ja.'

'Een kamer hier tegenover, dáár, bij die rij papajabomen, heb ik liever.'

'Daar is het te heet.'

Ik sprong op, regelde de zaak van die kamer aan de overkant met de eigenaar en liet er mijn tassen heenbrengen. De kamer was in lang niet gelucht. Het was een broeikas. Dat alles deed er niet toe. Ik ging er binnen en begon de tassen uit te pakken. Naar Dander keek ik niet om.

De volgende dag was alles anders. Dat is een van de voordelen die we hebben. Altijd is de volgende dag alles anders. Als je maar oplet. Heel vroeg werd ik wakker en rende de binnenplaats over.

Alleen de kok zat in een hoek geabsorbeerd rauwe koffiebonen te branden. Ik bonsde op Danders deur en kreeg dadelijk antwoord. Alsof ze mijn komst had zitten afwachten, zo zat ze daar, rechtop in een stoel, gekleed in rok en bloes. Die witte sandalen weer aan de blote voeten.

'Dander,' zei ik ademloos, 'verraad mij nooit. Laat er één mens zijn die de ander nooit verraden zal, wat hij ook doet. Ik wil dat jij het zult zijn. Dander, jij kunt de wereld anders maken. Je hoeft niet eens in mijn nabijheid te zijn. Maar ik zou het zeker moeten weten – dat jij mij nooit zou kunnen verraden.'

'Dat ik jou nooit zou kunnen verraden,' herhaalde ze toonloos.

Een antwoord? Toestemming, vraag, weigering, overweging?

Wat was het? Ik staarde haar aan.

'Over een uur gaat de bus naar H.,' zei ze, levendig opeens. 'Je hebt alle tijd. Neem een douche, kleed je aan. We ontbijten hier!'

'We ontbijten hier,' herhaalde ik toonloos.

Een pracht van een conversatie.

Over het grind dat nu pijn deed aan mijn blote voeten, rende ik terug naar mijn kamer waar het ook op dit uur al een stuk warmer was dan in de kamer van Dander. We ontbeten op haar koele voorgalerij. Alles is goed, zei ik tegen me zelf. Dander heb ik gevonden. Geen oponthoud bij de bank – het ontbijt is uitstekend, het binnenhof aan deze kant koel, we gaan naar H., die plaats heb ik een maand geleden gemist, ik voel me weer fit, ik leef, alles is in orde. Ergens zat iets dat niét goed was. Ik wist het best. Ik kon er alleen niet opkomen wat het was.

Terwijl alles aan omstandigheden beter en beter werd, ergerde ik me méér. Het was het vermoeden, de bijna-zekerheid dat Dander het wél wist. Waarom kon het dan niet gewoon op tafel gegooid worden. Waarom kon er geen antwoord worden gegeven op iets dat je nooit tegen iemand anders had gezegd? Met een wrok die met de minuut sterker werd, bekeek ik haar.

Wat een vrouw om zo tegen te praten. Iemand die met al haar kennis haar eigen leven in het slop had weten te krijgen door aan een twijfelachtig experiment te beginnen – iemand waarvan ik vrijwel niets wist – die wegliep als ik hulp nodig had en verontwaardigd deed als ik naar haar maatstaf te laat op kwam dagen. En vooral: iemand die geen antwoord gaf.

Het doet er niet toe, het doet er niet toe, dacht ik en merkte dat ik onder het witte tafelkleed mijn handen hield samengeknepen. Dat had ik drie jaar lang tegen me zelf gezegd. Het had geholpen. Nu niet. Maar best. Naar H. En verder nergens aan denken. Je had maar te leven. Met het mes op tafel, dat was de enige manier. Je moest kunnen kappen met wat catastrofaal voor je zou kunnen worden. Je moest je verdedigen. Tegen je zelf, tegen de ander. Daar kwam het op neer, in elke situatie: het mes op tafel.

Dander liep over die markt in H. Lange kaki broek, sporthemd. Zijn gezicht leek die dag voller, manlijker. De huid was bijna glad, egaal gebruind. Alleen kin en wangen waren iets donkerder gekleurd dan de rest.

Scherp lette ik op gebaren waarmee hij zich bukte naar het een of ander voorwerp dat op de grond van de tentjes was uitgestald. Ik keek naar de manier waarop hij zo'n voorwerp om en om draaide in de stevige handen. Man of vrouw? Gewoon een mens. Als een gewoon mens liep hij tussen die tentjes door. Ze bestonden uit vier stokken rechtop in de aarde gestoken met een juten zak als afdak. In die schaduw van jute zat een koopvrouw met platte manden vol maïs, schalen met sjat. Die sjat wilde ik kopen om op de bladeren te kauwen zoals ik enkele inwoners zag doen.

'Nee,' zei Dander, 'het is zo iets als mescaline. Een opwekkend middel. Misschien is het te vergelijken met opium. Je kunt eraan verslaafd raken.'

Wrokkig liep ik door. Dit was dus die beroemde markt van

H. Kleurig, met de juiste entourage van witte huizen en een minaret op de achtergrond.

'Wereldberoemd,' zei Dander, 'ik heb dit altijd willen zien.'

'De hangende tuinen van Babylon moet je ook niet vergeten,' antwoordde ik, 'of hangen ze ergens anders? Nee, in Babylon. Maar het zijn er zeventig. Of misschien zevenhonderd?'

Dander liep met grote passen voor mij uit. Af en toe keek hij om en zei iets over zijn schouder.

Niet kinderachtig wezen, dacht ik. Wat komt het erop aan. Dander houdt van wereldberoemde markten. Waarom zou hij niet? Als hij dat al niet mag van mij, wat mag hij dan wel. Iedereen moet van alles mogen van mij. Het doet er immers niet toe. Alleen: het zou vervelend zijn als hij nu begon over R., het wonderkind. Het mag natuurlijk. Vervelend zou ik het wel vinden. En dat is absurd.

Luid riep ik over het geschreeuw van de koopvrouwen heen: 'Waar heeft die R. hier nu ergens gezeten? Zou er nog iets over zijn van die koffieplantages van hem?'

Dander stond stil en draaide zich met een ruk om. Zijn gezicht een bruin, boosaardig vertrokken masker. Zo eentje als ik er hier en daar in de huizen had zien hangen.

'Dacht ik het niet!' schreeuwde hij met een van laag naar hoog overslaande stem. 'Dacht ik het niet dat je wel over de beroemde R. zou beginnen! Echt iets voor jou met je hangende tuinen. Als het maar apart is! Als het maar –'

Een tros aaneengebonden waterkruiken lag vlak voor mijn voeten. Ik wilde Dander inhalen, hem uitleggen wat ik had gevoeld, nog maar een paar seconden geleden. Ik deed een sprong naar hem toe, strekte mijn hand uit om hem te bereiken maar struikelde over de laatste waterkruik en viel op knieën en ellebogen.

Een dun straaltje zweet liep in mijn ogen zodat ik niet kon zien in welke richting Dander wegliep.

'We dachten er toch allebei aan!' schreeuwde ik. 'Dat is hetzelfde als het uitspreken. Het komt eigenlijk op hetzelfde neer. Dander! Ik ben toch niet anders dan jij. Jij bent toch niet anders dan ik!'

Het gegiechel van vrouwen onder hun afdak van jute werd luider. Tartend – of verbeeldde ik me dat maar? – werden me voorwerpen toegestoken: een snoer kralen, bewerkte houten lepels, een lap stof, een schotel met sjat-bladeren.

Kris-kras rende ik de markt over, roepend om Dander die er al lang niet meer was.

In de schaduw van een muur bleef ik staan en veegde mijn gezicht droog. Van dichtbij klonk grammofoongejengel, luide Arabische muziek die plotseling afbrak en overging in wat de eerste minuten een stroom van onbegrijpelijke klanken leek.

Ingespannen bleef ik luisteren. Natuurlijk kon je zo'n onbekende taal best verstaan. Als je maar oplette.

'Zoekgeraakt: meisje, gekleed in grijs rokje en wit mouwloos bloesje, luisterend naar de naam Levka. Men wordt verzocht haar naar de afdeling klantenservice te brengen waar haar ongeruste familie op haar wacht.' Die Arabische woorden waren makkelijk te begrijpen. De muziek zette opnieuw in, luider dan tevoren.

Hollend ging ik de lange straat door naar het plein waar de bus naar J. vertrok. Daar had Dander naar toe willen gaan. Dat wilde hij nog. De bus zag ik om de hoek verdwijnen. En voorin de bus zag ik een stuk kaki hemd, Danders afgewend profiel. Het was de enige bus die deze dag naar het zuiden vertrok. Een tweewielig karretje stond vlak naast me. Terwijl ik erin sprong wees ik op de bus maar de koetsier had alles gezien en begrepen. Licht trok hij aan de leidsels en het karretje reed voordat ik goed en wel op de achterbank zat.

Bij de tweede halte haalden we de bus in. Er stonden drommen mensen te wachten. Allerlei koopwaar moest op het dak van de bus worden geladen, daar secuur worden vastgesnoerd. Er moest worden gepraat over elk stuk bagage.

De bus zelf was vrij vol maar op de voorste bank, waar Dander zat, bleek nog een plaats vrij. Ik glimlachte en ging naast hem zitten. Dander keek me zwijgend aan, haalde toen de schouders op en staarde weer naar buiten. Langs zijn opnieuw afgewend profiel keek ik ook het raampje uit: een paar ronde hutten, opgetrokken uit stammetjes die met een mengsel van hardgeworden modder en mest aan elkaar waren gehecht. Een dak van stro. De acaciaboom waaronder mannen gehurkt zaten. Op de achtergrond vrouwen, bezig met de vuurtjes. Een paar stonden met platte manden vol papaja's op het hoofd bij de bus, terwijl ze luidkeels die koopwaar aanprezen. In de schaduw bogen ezeltjes het hoofd voor een waanzinnig geworden zon die ook het dak van de bus probeerde te doorboren. Onrust schoot door me heen nu de activiteit van mijn lichaam mijn denken niet langer overschreeuwde.

'Terug naar D.' (zeiden mijn gedachten): Weg van Dander. De trappen af, het warenhuis uit, de vrijheid in. Het karretje staat er nog. Over twee uur kan ik terug zijn in het hotel. Morgenochtend gaat een vliegtuig naar de kust. Er zal nu een boot liggen. Als er geen boot is moet ik er op wachten. Want eenmaal komt er een boot. Ik moet alleen niet ongeduldig zijn. De dagen uithouden. De nachten uithouden, de hitte, de bedelaars, het doelloos praten van de terraszitters om 5 uur 's middags, de onverschilligheid van de scheepsagent, het alleen zijn, de brieven van mijn familie die niet meer weet van Levka dan de naam van een havenplaats. Levka, poste restantē. Ik zal het uitzitten. Minuut voor minuut zal ik de dagen uitzitten, de nachten. Heen en weer lopen door de hotelkamer. Op en neer over de losliggende planken van de bovengalerij. Achter de neergelaten krees zitten, de seconden uithouden. Vliegen tellen op een muur vol vochtplekken.

En vooral elke morgen naar het kantoortje van de scheepsagent gaan. Dan bij de haven staan. Want de scheepsagent weet misschien veel van schepen maar door de hitte is hij alle feiten en alle data kwijtgeraakt. Nu sta ik, Levka, op. Ik ga de bus uit.

Tegen Dander zeg ik niets. Hij heeft ook niets gezegd tegen mij. Wat doet het er trouwens toe? Hij kan zonder me. Ik kan zonder hem. Wat zou hij nu denken? Hoe voelt zijn lichaam aan? Gaat hij terug naar D.? Dat kan vanavond niet meer want er loopt morgen pas een bus. En die bus komt te laat voor het vliegtuig.

Ik vraag me helemaal niet af of Dander morgen, overmorgen, over een paar dagen of misschien wel nooit naar de kust zal vliegen. Daar denk ik zelfs niet over. Ik bepaal zelf wat ik doe. Keert het karretje al om? Op de zinderende straat staan geen mensen meer, de bus is vol. Dit is dus het ogenblik.

Terwijl ik opstond, glimlachte ik triomfantelijk. Met mijn ene hand greep ik mijn tas terwijl ik me naar Dander keerde en de bus vertrok.

De deuren waren al gesloten; we reden traag weg. Naar J. dan maar.

Er was niets in J. Nou ja. Wat hutten. Rijen aaneengebonden kamelen. Struisvogels op onverharde wegen. Je mocht die struisvogels geen schrik aanjagen. Het waren agressieve dieren zei men die soms in woede mensen aanvielen en met hun scherpe snavels niet te onderschatten waren. Dat ze hun kop in het zand zouden steken als er gevaar dreigde, was maar een fabeltje. Soms deden ze wel hun ogen dicht.

'Maar,' zei een van de bewoners van het dorp, 'dat is misschien niet omdat ze bang zijn. Ze kunnen zich immers heel goed verdedigen? Ze zijn af en toe beu van de hele zaak. Ze denken: wat een trammelant en waarvoor allemaal?'

Dander wilde op leeuwenjacht. Ik zei hem dat ik er niet voor voelde. Ten eerste was ik geen held. Ik was benauwd voor die leeuwen. Bovendien kon ik niet met een geweer omgaan. Verder wist ik nog wel tientallen redenen waarom ik niet op leeuwenjacht wilde. Waarom zou ik ze opsommen? De beste reden had ik het eerst genoemd: ik voelde er niet voor.

Wel wilde ik een paar dagen, desnoods langer in J. wachten tot Dander terug zou zijn van z'n expeditie. Hij zei dat iemand die op je zat te wachten je bewegingsvrijheid beperkte. In die ene rij hutten was een lokaaltje waar je hete thee kon krijgen. Het was er nog heter dan buiten. De wanden waren beplakt met vergeelde kranten. Terwijl Dander het dorp in liep om te proberen jagers bij elkaar te krijgen, raakte ik in gesprek met twee mannen die aan een van de andere tafeltjes zaten. Het waren een piloot en een reservepiloot van een klein vliegtuigje dat boven dit zuidelijk, onontgonnen gebied heen en weer koerste om luchtfoto's te maken voor een topografische kaart. Ze stonden op het punt terug te vliegen naar hun basis, naar D.

Of ik mee wilde?

'Ja,' zei ik, 'ja, ik wil graag mee.'

Dan moest het ook meteen.

Twee thee betaalde ik. Een briefje liet ik achter voor Dander. Met een jeep reden we naar het vliegveldje waar een klein toestel stond. Aan de rand van het terrein zaten apen naar ons te kijken. Ik kreeg de zitplaats van de reservepiloot. Hij zelf bleef zolang wel staan, het was niet ver ten slotte en ik had de telescoop nu vlak voor mijn voeten zodat ik het landschap duidelijk zou kunnen zien.

'We vliegen wel hoog,' waarschuwde de piloot nog.

Maar het zei me niets. Verdiept keek ik naar de heuvels, het steppengebied beneden me: kudden giraffen, onyxen, een enkele traag voortsjokkende leeuw. Voor mij was het een filmpje uit de Cineac. Want ik dacht: dit keer heb ik het gedaan. Op tijd. Alles is in orde. Morgen het vliegtuig naar de kust. In de havenplaats kan ik een ander hotel nemen desnoods. Er zal nu gauw een boot komen.

Zonder dat ik me ervan bewust was begon ik te neuriën. De piloot, vlak voor me, lachte. Hij vroeg me wat dat voor een deuntje was.

Een ogenblik moest ik daar over nadenken.

'Zomaar iets,' zei ik, 'een Hollands liedje.'

Het was niet zomaar. Dat drong wel tot me door. Ik hield op met neuriën en begon een willekeurig lied te zingen toen de piloot me daarom vroeg. Intussen dacht ik na over dat geneurie van me. Het was 'Ferme jongens, stoere knapen' geweest.

Levka, ferm en stoer meegedobberd met de stroom van een wat ongebruikelijk aanbod voor een lift per vliegtuig.

Doet er niet toe, zei ik tegen me zelf. Met het hoe heb ik niet te maken. Het gaat erom wat ik ervan terecht breng. Alles komt nu voor elkaar. Tevreden liet ik de telescoop waar ik overheen gebogen gezeten had, los en leunde achterover. Door de lens in de bodem van het toestel had de aarde nogal dichtbij geleken. Nu zag ik door het raampje dat we veel hoger vlogen dan ik me had voorgesteld.

Het is té hoog, dacht ik in paniek, te hoog voor zo'n klein vliegtuigje. Dit toestel is een ding van niets. Het is maar een paar meter lang!

Even later leken heuvels en rotsen naar ons toe te springen maar voor ze ons raakten, kwamen we in een dal waar muren van steen ons links en rechts insloten. Vogels vlogen op uit een onzichtbaar nest. Boven het heuvelachtig terrein voorbij het dal daalden we tot enkele tientallen meters van de grond. De reservepiloot wees me de dieren die schichtig voor ons wegschoten. Na een paar minuten waren we zo hoog gestegen dat het land een wazige vlek was geworden. Het fotograferen gebeurde altijd op meer dan normale hoogte, zei de piloot.

Ik kon er niets aan doen dat mijn handen de stoelleuningen niet wilden loslaten. Mijn oren deden hun gewone werk niet meer. Vaag vingen ze klank van stemmen op maar het werd overstemd door gepiep en gesuis dat uit alle richtingen leek te komen. Een prikkeling begon bij mijn polsen, kroop vandaar naar mijn schouders. Ik kon niet meer zien, niet meer denken. Door het raampje waar ik mijn gezicht naar toe had gekeerd zag ik niet Afrika maar grote bewegende letters: 'Dander! Om Godswil Dander! Klantenservice!'

We stegen hoger, daalden daarop snel toen we het vliegveld van D. naderden. Ik voelde me bang, miserabel, al vormden mijn lippen woorden die ik niet kon verstaan, opgewekte woorden, licht geneurie. Want dat we toffe jongens zijn dat moeten ze wé-éten. Bij stukjes en beetjes kwam een lichaamloos denken terug, daarna het voelen, niet aangenaam.

Weer stond ik op de grond en wist toen pas dat ik van de aarde hield.

Mensen doen het soms in hun broek van angst, dacht ik, ik ben benieuwd. Bukkend nam ik wat zand tussen mijn vingers, plukte een paar sprieten verzengd gras terwijl mijn stem onverschillig doorging zinloze dingen te zeggen. We zijn een beleefd volk, zó beleefd dat het ons onoprecht maakt.

'U ziet bleek.'

'De hitte.'

Terwijl mijn maag nog te keer ging zaten we op een steen te wachten op een vervoermiddel dat ons van het vliegveld naar D. zou brengen. We rookten, we vertelden verhalen.

Ik hoef helemaal niet naar de kust, dacht ik, waarom zou ik? Het was maar een opwelling en Dander weet daar niets van. In het hotel zal ik op haar wachten, een paar dagen, een paar weken. Wat doet het er toe. Zij heeft ook op mij gewacht. Het zou niet sportief zijn haar zonder meer in de steek te laten. Die gedachte suste mijn onrust.

De piloot was net aan de pointe van een van zijn verhalen toe. Ik lachte luid. Onsportief! Had ik mij ooit bekommerd om onsportiviteit? Wat was dat trouwens. Wie bepaalde wat sportief was en wat niet. Ook dat deed er weinig toe.

Die avond sliep ik vroeg in. Tegen de eigenaar van het hotel had ik gezegd dat ik niet wist hoe lang ik nog zou kunnen blijven.

'Niet genoeg jagers te krijgen,' zei Dander.

'Drijvers noem je het geloof ik,' zei ik slaperig. 'Hoe laat is het?' Maar op mijn horloge zag ik al dat het 3 uur in de morgen was. Ik ging rechtop zitten in bed en nam de tijd om boos te worden. 'Waarvoor maak je me eigenlijk wakker midden in de nacht? Is daar een speciale reden voor?'

'Moet er altijd een reden zijn?'

'In dit geval, ja! Morgen wil ik vroeg op. Ik vertrek met het vliegtuig dat naar de kust gaat.'

'Dan ga ik met je mee.'

'Je ziet maar.'

Het bed voelde niet langer prettig aan toen ik weer ging liggen. Dander bleef door de kamer lopen.

Wat wist ik eigenlijk van Dander? Wat wist ik van alle redenen die mensen kunnen hebben om een ander wakker te maken midden in de nacht? Dander leek sterk. Maar ook Dander zou bang kunnen zijn. Het muskietengaas om mijn bed trok ik behoedzaam open. Ik stak er mijn hand door toen Dander langs kwam.

'Neem een stoel, Dander. Kom bij me zitten. Vertel me van je dag.'

'Nee, ik heb geen behoefte aan praten.'

'Ga dan slapen. Als je morgenochtend mee wilt naar de kust, moet je vroeg op!'

Dander schoof met een ruk een stoel opzij. Ze was een vage schim in de donkere kamer en gleed allerminst onhoorbaar heen en weer doordat ze van alles in haar handen nam en het daarna op de grond liet vallen.

'Je maakt het hele hotel wakker.'

'Je bedoelt dat ik jou wakker maak.'

'Ja, dat bedoel ik.'

'Stoor ik je soms?'

Dat vragen mensen. En dat kunnen ze vragen omdat je zo onoprecht bent geweest om in plaats van: 'Donder nu eindelijk eens op, ik ben bekaf, ik kan niet meer,' te zeggen: 'Waarom ga je niet slapen!' Het is de kans waar iedereen of hij het weet of niet, steeds op wacht: de kans de ander tot onredelijkheid te brengen om zelf plezierig razend te kunnen worden. Was er nog wat aan te doen? Zwijgend wachtte ik af.

'Slaap je al?'

'Nee. Met elke minuut dat je hier bent word ik hoe langer hoe minder slaperig. Dit is een overbodige mededeling. Het ligt voor de hand.'

Ze trok mijn klamboe verder open zodat muskieten zoemend naar binnen trokken.

'Zal ik eruit komen? Zullen we praten op de veranda? Het is daar koeler.' Ik zat alweer overeind.

'Ik heb je niets te zeggen.'

'Het kan me niet schelen om hier nog een paar dagen of een paar weken te blijven. Het is niet nodig dat ik morgen vertrek. Ik hoef nergens heen. We kunnen hier maanden blijven als het je hier bevalt.'

'Het bevalt me hier niet.'

'Wil je morgenochtend vertrekken?'

'Dat zei ik je toch?'

'Luister, Dander. Daarnet was ik nijdig omdat ik plotseling wakker werd gemaakt. Nu niet meer. Laten we gewoon wat bij elkaar zitten.'

'Ik voel er niet voor om gewoon wat bij elkaar te zitten.'

'Ongewoon dan,' zei ik met een lachje als poging de situatie te redden. 'Of waarin je zin hebt. We doen gewoon of ongewoon waar je zin in hebt.'

Je bent weer bang voor een scène, Levka, dacht ik. Angst, geen vriendelijkheid, geen belangstelling, zo is het.

'Ik heb zin om hier wat rond te lopen.'

'En daarbij een meer dan normaal lawaai te maken.'

'Precies!'

'Je zou dat ook in je eigen kamer kunnen doen.'

'Ik wil het doen in de jouwe.'

'Als we zo doorgaan is er geen tijd meer om te slapen.'

'Doet dat er iets toe?'

'Voor mij, ja!'

'Voor jou!'

Ze draaide het licht aan. De woede in me was nauwelijks te bedwingen. In een poging het onzinnig verloop van ons samenzijn tegen te houden, balde ik mijn vuisten. Ze zeggen dat er twee nodig zijn om ruzie te maken. Dat is zo. De tweede hoeft maar aanwezig te zijn. Enige voorwaarde is dat hij leeft, voelt, denkt.

Ik sloot mijn ogen tegen het schelle licht van het niet afgeschermde lampje boven mijn bed. Als klein kind probeerde ik tot 25 te tellen en nergens anders aan te denken. Hij heette C. van M., dacht ik, de naam is me natuurlijk ontschoten. Het was een sage uit een leesboek op school. Hij liep de zee in omdat hij dacht dat de branding een vijand was die hij in z'n eentje wel eens even klein zou krijgen. Hij verdronk. Heldhaftig hoor. Strijdend ging hij ten onder. Tegen niets. Voor niets. Nu niet meer praten. Me concentreren op die naam. Het schiet me zo te binnen. Iets uit het Noorden. Het is belangrijker dan dat wat nu gebeurt in Afrika. Of het zou belangrijker zijn als ik het begreep.

Jammer dat je stem zich niets aantrekt van je gedachten. 'Dander, luister!' (een pesterig iets om te zeggen, het maakt de rest al overbodig) 'Als je in moeilijkheden zit, dan kom ik eruit. Dan praten we de hele nacht door voor mijn part. Als je je rot voelt hou ik mijn hoofd onder de kraan en we gaan samen ergens zitten praten. Of samen zitten zwijgen. Of samen modderen. Maar anders –'

Fout!, fout dat laatste!

'Anders wat?'

'Anders zou ik graag hebben dat je het licht uitdraaide en naar je eigen kamer ging. Zo staan de zaken.'

'Ik heb geen moeilijkheden. Ik voel me niet rot.'

'Hoe voel je je dan?'
'Gewoon.'
Het licht leek met de minuut scheller te worden.
'Dander, ik ben bekaf. De dingen-van-de-dag kunnen morgen ook afgehandeld worden. Als er niets dringends bij is tenminste.'
'Er is niets dringends.'
'En je voelt je werkelijk goed?'
'Uitstekend.'
'Wil je het licht uitdoen en me laten slapen?'
'Wat maakt een nacht uit?'
'Ik ben moe, zei ik je al, doodop, ik heb behoefte aan slaap.'
Als ik nu nog slapen kán, dacht ik, met die machteloze woede in me. Met het besef van die leegte in me, het net niet voldoende aanvoelen van de ander. Het besef van onafwendbaarheid. Waarom maak ik me razend om iets zo onnozels. Maar het is niet onnozel. Dander houdt geen rekening met mij. En ik houd geen – denken aan die Noorse naam. Het was iets als Koekoelijn. Maar je schreef het met een C.
Dander drentelde door de kamer. Ze nam een haarborstel op, legde die weer neer. Ze greep een brief die op mijn kastje lag, bekeek het adres van de afzender, trok langzaam het velletje uit de enveloppe.
'Doe of je thuis bent.'
'Ben ik dat dan niet?'
'Ben je thuis bij iemand die je welbewust dwars zit? Nee. Daar ben je niet meer dan een gast. Minder: een indringer.'
Geen idee had ik van wat ik van plan was. Mijn spierreactie was mijn gedachten vóór. Snel bukte ik me, greep een schoen en smeet die naar Dander. De schoen schampte langs haar heup maar ze had hem snel te pakken. Nog geen seconde later vloog hij met een klap tegen mijn hoofd.
Terwijl ik versuft in bed zat, begon ik te lachen en zij ging op een stoel zitten, nam een fles op die ze bij het binnenkomen

blijkbaar op de grond had gezet. Ze was langzaam en onhandig met het openen.

'Heb je al gedronken?'

'Nee,' zei Dander, 'maar ik heb er nu zin in.'

'Ik niet.'

Fluitend greep ze twee glazen. Waar haalde ze die zo gauw vandaan? Mijn gebarsten wastafelglas stond nog op z'n plaats. Alles stond nog op z'n plaats. Voordat ik ging slapen had ik mijn reistas gepakt. Op mijn gemak gleed ik het bed uit. Het muskietengaas liet ik achteloos wijd open. Ik bukte me naar m'n schoenen, pakte kam en borstel en begon mijn haar te doen.

'Schenk voor mij niet in, Dander.'

Maar ze had de fles nog niet open en zat boos in zich zelf mompelend voorovergebogen in de stoel, het hoofd naar beneden gericht.

Ik liep langs haar heen, nam mijn kleren van de stoel, het toiletgerei van de wastafelplaat, klemde dat alles onder mijn linkerarm en greep met de rechter de reistas.

'Dag Dander.'

Ik keek niet om. De deur sloeg vanzelf achter me dicht. Had ze opgezien van haar inspannend werk?

De binnenplaats was stil, leeg, bijna even licht als mijn kamer door een volle maan die juist in het midden aan de luchtkoepel hing.

Gewoon een compositiefout. Die maan leek een plafonnière op deze manier. Zonder dat ik wist waarom, begon ik te rennen. Mijn haastige blote voeten maakten dat het grind uiteen spatte en kletterend op de tegelvloer van de aparte voorgalerijtjes sloeg.

Ik bekommerde me niet om het lawaai. Terwijl ik langs de lege keukens en de ommuurde put naar de overkant van dat binnenhof rende, zag ik alles duidelijker dan ik het overdag, lui zittend in een stoel vóór mijn kamer, had gezien.

In de open eetzaal stonden de tafels gedekt voor het ontbijt, de witte servetten stijlvol gevouwen op de blauwe borden. Het was een hardnekkige poging het moderne leven mee te leven maar de gebarsten muren werkten tegen, het onkruid dat heimelijk doordrong in het huis, de kalender van drie jaar geleden, de filmsterren aan de muur met hun kleding uit een tijd die ergens anders lachwekkend lang voorbij was.

De palmen bleven zich zelf, de hoge boom met de dubbele hibiscus. Overal hing een lucht van citrusvruchten en nasmeulende houtvuurtjes. Alleen Afrika bleef zich zelf.

De geur van nachtbloemen ging mee Danders kamer in. Het licht deed ik niet aan. Mijn bezittingen gooide ik op de grond, op een tafel. Ik rukte de klamboe van Danders bed opzij, sprong naar binnen en stopte het gaas rondom zorgvuldig dicht.

Een tijdlang zat ik zonder gedachten, de benen gekruist onder me. Toen maakte ik het gaas los, liep de grote kamer door naar de deur. De grendel schoof ik ervoor.

Het blijft altijd vandaag. Dander bonsde de volgende ochtend vroeg op mijn, zijn of haar kamerdeur.

'Denk aan het vliegtuig. Afgerekend heb ik al.'

Wrevelig na die vrijwel slapeloze nacht kwam ik overeind.

'Ik had aangenomen dat je nog wilde blijven. Uitslapen is het enige waar ik op het ogenblik behoefte aan heb.'

Futloos mijn lichaam. Mijn brein zonder gedachten. Alleen dit: terug in de kussens. Liggen. Niets doen. En het voornaamste: vooral niet praten.

Was er gisteravond iets gebeurd dat de moeite waard was? Iets dat mijn plan had gewijzigd? Het moest wel. Niet over nadenken.

In plaats van het denken kwam een schemerige film op de binnenkant van mijn gesloten oogleden. Er was een gesprek geweest. Een gesprek? Toch zag ik ons praten. Duidelijk zag ik de monden van Dander en mij zelf bewegen. Wat we tegen elkaar hadden gezegd, ik kon er niet opkomen. Het leek ook nauwelijks van belang. Het reclamefilmpje vervaagde alweer.

Mijn, zijn, haar kamerdeur had ik niet opengedaan. Waarschijnlijk stond ze niet meer op het voorgalerijtje, was ze al weggegaan. Ik draaide me om. Dander! De ellendeling, treiter, verraadster, vriend, vriendin, die mij met warmte vervulde, die ik met warmte begroette.

Ik riep: 'Je zei nog dat je mee wilde. Maar dat was in het begin van de nacht. Daarna is er toch iets gebeurd, veel gepraat, er zijn een paar woorden gezegd die alles leken tegen te spreken.'

Praatte ik tegen iemand. Praatte ik weer tegen niemand?

De herinnering kwam terug.

'Je houding, de manier waarop je me behandelde, waarop ik jou behandelde. Maakt het geen verschil? Best. Voor mij maakt het geen verschil. Maar je niet geuite woede tegenover mij. Mijn niet beheerste woede tegenover jou. Doet het er niet toe, Dander?'

Achter de gegrendelde deur bleef het stil.

'Dander!' schreeuwde ik. 'Ik ben nu wakker, ik weet alles weer. Alleen: wat was de conclusie. Is er wel een conclusie geweest. Geen notie heb ik ervan. Waarvoor is een conclusie ook nodig. Toch: over het hier blijven of het hier weggaan: ben ik het geweest die me heb bedacht? Was jij het? Wil je toch liever een normale portie slaap?'

Op de binnenhof-veranda bleef het stil. Ze moest weg zijn gegaan. Nog eens riep ik: 'Ik had het idee dat je er na die nacht niet meer voor zou voelen. Om vandáág te vertrekken bedoel ik. Het kan ook zijn dat ík er niet meer voor voelde.'

Ophouden met zaniken, er nu dadelijk mee ophouden. Ik lachte voor het geval dat ze toch nog zwijgend op het voorgalerijtje stond.

'Te gek om los te lopen, dit alles,' riep ik opgewekt, 'ik kom eruit, ga onder een koude douche, ik ben zó bij je.'

'We gaan vandaag met dat vliegtuig mee,' zei Dander vlak achter de slaapkamerdeur. 'Maak voort! Ik wil op mijn gemak kunnen ontbijten. De koffers ga ik pakken zodra jij in mijn kamer klaar bent.'

Scherp luisterde ik naar die stem, naar bewegingen. Voetstappen gingen een onbekende richting uit.

Ik was met één sprong onder de douche die in de hoek van de kamer was ingebouwd. Ferme jongens, stoere knapen. Het bestaan beviel me wel.

In de gelagkamer zat Dander te praten met een paar inwoners van D. Duidelijk te horen aan het dialect. Uit niets in houding of gebaren bleek vermoeidheid, nervositeit. Dander was op haar gemak, zeker van zich zelf. Ze droeg een verschoten jurk, haastig aangeschoten, dat was duidelijk te zien. Haren niet gekamd. Waarom zou ze.

Het gesprek klonk gemoedelijk, waarschijnlijk door de drank op tafel.

Een slaperig uitziende man schonk in snel tempo glazen vol die in snel tempo werden geleegd. Het lokaal was niet gelucht maar door een spleet in de gesloten blinden zag ik dat het buiten nog donker was.

Even bleef ik kijken naar die inschenker, kennelijk net uit bed gehaald. Ferme jongens, stoere knapen. Het was duidelijk dat hij niet de kans had gekregen, of niet op het idee was gekomen zo vroeg in de morgen, van de koude douche, een stevig afwrijven van het lichaam. Zijn bestaan beviel hem niet met die slaapwallen nog onder z'n ogen.

Dander schoof, zonder naar mij te kijken, afwezig een stoel bij. Tussen twee zinnen in – het leek nauwelijks voor mij bedoeld – mompelde ze: 'Kom erbij. Het ontbijt is nog niet klaar. Dit zijn taxichauffeurs die straks naar het vliegveld rijden. Ik onderhandel.'

Na dat bad had ik trek in een ontbijt. Lusteloos ging ik aan hun tafeltje zitten. Zonder dat mij iets werd gevraagd, zette de niet-op-het-idee-gekomen-man een glas voor me neer, schonk de whisky in. Genoeg voor een ontbijt voorlopig.

Terwijl de anderen even zwegen, fronsend om de onderbreking van mijn komst, hield ik het glas in de hoogte.

'Op de taxi's! Prosit! Op het vliegtuig, de havenplaats! Op de boot-wie-weet-wie-weet! Op de onderhandeling!'

Ze lieten me uitspreken, dat wel. Ze staarden in hun lege glazen, keken me niet aan. Niet een van de drie chauffeurs gaf antwoord. Van Dander had ik geen antwoord verwacht. Onmiddellijk na mijn laatste woord kwam hun gesprek traag op gang, die onderhandeling waarmee ik niets had te maken.

Verdomd, dacht ik, ik zit hier. Het is niet de moeite waard wat ik zeg en ik weet het. Het is niet nodig dat ze erop antwoorden. Alleen een bewijs van mijn bereidheid erbij te zijn, dat bedoelde ik ermee. Me even aankijken, dat kunnen ze toch. Laten ze desnoods naar me kijken zoals je terloops even kijkt naar een zoemende vlieg, een rondkrabbelende luis. Daar kijk je ook naar al praat je er niet tegen. Je merkt hem in ieder geval op, daarmee erken je zijn bestaan. Voor deze vier bén ik er niet, niet voor Dander, niet voor die onderhandelaars. Ik vraag niet om een glimlach, niet om het heffen van een glas. Alleen hun ogen wil ik zien. Een klein gebaar, zelfs een blik is al te veel voor die lui.

Een eind van me af, aan de andere kant van de ronde tafel, lag een pakje sigaretten. Het deed er niet meer toe van wie dat pakje was, dat ik niet rookte.

Ik stond op, keek niemand aan. Jawel, het lukte feilloos. Alle vier glazen, door Dander net gevuld uit haar eigen fles, stootte ik om met één enkel gebaar. Whisky stroomde over de tafel, droop op hun kleren, liep op de grond.

Met beheerste gebaren ging ik weer zitten, keek om naar de ober die er niet meer was, die de deur achter zich had dichtgetrokken. Ik stak een sigaret op en floot. Onder zwak lamplicht zaten wij vijven bij elkaar, ik droog, zij niet. Alles in orde dus.

Vanuit de badkamer op het binnenhof hoorde ik geklater van water. Hij neemt zijn douche, dacht ik tevreden, de wallen onder zijn ogen verdwijnen al. Hij voelt zich beter. Misschien rust hij even na het bad.

Met mijn eigen volle glas in de hand, staarde ik naar de deur die voorgoed leek gesloten. Is Dander de hel? Ben ik een helleveeg? Het is te vroeg om me daarin te verdiepen. Er stonden geen flessen whisky meer op het buffet, die fles van Dander was leeg, zag ik. Alleen in mijn handtas zat een flinke flacon. De voorzienigheid regelde alles maar weer prima. Die flacon zat daar goed in mijn tas. Een mens moet ontbijten. Op zo'n morgen moet een mens een krachtig ontbijt hebben.

'Drinken! Goed voor u!' mompelde ik terwijl ik het glas in één teug leegdronk. Kranten uit Nederland werden me overal nagestuurd.

Me bukkend, opende ik de handtas die ik naast mijn stoel op de vloer had gezet. Neuriënd hield ik de zakflacon tegen vaal ochtendlicht dat door een kier in de straatdeur drong. Bedachtzaam, genietend van de stilte, van mijn bezigheid, schonk ik het voor me staande glas vol. Alle vier keken ze naar het etiket op de fles in mijn hand: 'Queen Anne'. Voorzichtig bewoog ik het glas heen en weer, zodat de drank erin plezierig klokte. En jawel hoor, de tong langs hun lippen. Ze keken me nu alle vier aan. De kurk weer op de fles en de fles legde ik afwezig op mijn schoot.

Daarna liep ik drinkend, het glas in mijn hand, naar de straatdeur die ik wijd opengooide. Diep en goed hoorbaar haalde ik adem. Het leven was weer best. Zo moest het klinken, zo klonk het, dat diep inademen. Vlug liep ik naar de stoel waar ik de fles zolang had neergezet. Ik schonk mezelf weer in, liep met glas en fles terug naar de deur. De snel lichter wordende straat was zonder geluiden, zonder geur. Dat verandert niets aan de zaak, dacht ik en snoof luid een prettig aandoende bloesemgeur op. Ha! Een ochtend als deze –!

Verrast boog ik me voorover, tuurde de straat in.

'Jíj hier!'

Gewoonlijk is mijn stem zacht, te zacht. Nu klonk die stem fors, luid zelfs. Met fles en glas nog in mijn handen, liep ik snel de deur uit, het terrasje over, sprong de treden af naar de straat. Tegen niemand stond ik te praten buiten het gezichtsveld van de vier aan het tafeltje binnen. Hun net weer op gang gekomen gesprek stokte. Luisteren kun je goed horen.

'Ook een glaasje?' vroeg ik de niemand. Zacht mompelde ik daarna iets dat toestemmend, vrolijk klonk. Met de fles tegen de rand stotend schonk ik de whisky in het glas dat een duidelijk hoorbaar tinkelend geluid maakte.

Die ene whisky goot ik in het stof langs de wegkant.

'Jij weet er weg mee! Nog altijd de oude. En gelukkig maar. Ik had je niet graag veranderd gezien.'

Ik mompelde iets onverstaanbaars.

'Nog een glas?'

Ik schonk weer in. Te lang mocht het niet duren. Dander zou ieder ogenblik in de deuropening kunnen komen.

'Ja! Tot ziens in de haven! Ik verheug me erop. Met de trein? Dan moet je je haasten. Jij! Dat jíj hier bent!'

Een paar seconden stapte ik heen en weer, hard en snel lopend, zacht drentelend, om beurten. Het klonk natuurlijk. Of leek dat zo door de whisky? Hoeveel hadden zíj er op?

Bij de deur zag ik dat ze alle vier nog in dezelfde houding zaten, aan die drijfnatte tafel, in hun natte kleren. Niemand kon zijn opgestaan.

'Je kunt de vreemdste ontmoetingen hebben. Ontmoetingen op plaatsen waar je je beste vrienden niet verwacht, dat bedoel ik. Een geluk dat ik zo vroeg ben gewekt.'

Het was niet eens een leugen. En al was het dat geweest. Ik had er honderden willen vertellen. Speciale leugens, pasklaar voor Dander. Een winstpunt dat ik zoveel verschillende stemmen heb in mijn keel.

'Servus!' riep ik met de stem die ik het meest gebruik. Dat sloeg nergens op. Nou én?

Ditmaal gebruikte ik mijn stem iets krachtiger dan gewoonlijk. Fluitend kwam ik met glas en fles naar hun tafel toe. Gezichten, naar de deur gekeerd, werden snel afgewend. Toch had ik het gezien: geen ongeloof, geen achterdocht. Goed zo.

Haastig begonnen de vier zwijgers een gesprek op een manier alsof dat gesprek geen moment onderbroken was geweest. Opgewekt schoof ik mijn stoel naar de tafel, schonk mezelf in, nam het glas op en liep met handtas, fles en vol glas, recht en zeker van mezelf op de deur van het binnenhof toe.

'Tot zó!'

'Ja, tot straks.'

Op de binnenplaats zag ik de kok al bezig in de keuken. Het was een flink ontbijt dat ik bestelde en het werd snel gebracht. We praatten, de kok en ik. We glimlachten tegen elkaar. Ik at. Ontspannen op bed liggend rustte ik een half uur. Het bestaan beviel me steeds beter.

'Drinken in je eentje, dat doe je niet,' zei Dander. Ze kwam mijn niet langer gegrendelde kamer binnen, haar kamer.

'Dat doe je niet,' herhaalde ik. 'Het weerpraatje. Wat is het koud vandaag. Hoeveel maal zou ik dat al hebben gehoord. Ze zeggen het, dat is waar!'

'Drinken doe je met anderen. Samen.'

'En waarom? Is er een reden voor? Drink je meer als je alleen bent? Drink je minder? Is het gezonder? Is het een gezelschapsspel? Ook dat is dus verboden: feestelijk drinken in je eentje als het nu toevallig feest is en je niemand bij de hand hebt om het feest mee te vieren? Of als je je beroerd voelt en de geschikte persoon er niet is om samen beroerd mee te zijn. Drink je dan niet?'

'Nee.'

'Het elfde gebod: "Gij zult in uw eentje geen alcohol gebruiken".' Ik nam een slok van die whisky. Ik ben nu samen, dacht ik. 'Gij zult in uw eentje geen alcohol tot u nemen,' veranderde ik, 'zo klinkt het beter. Als de taal gezwollen is, mag de bedoeling gezwollen zijn. Prosit! Het is prettig dat je me aankijkt.'

'Jij drinkt nooit zo veel. Dander begon haar kleren in te pakken. 'Je drinkt nooit zo vroeg in de morgen. Je drinkt niet in je eentje voor zover ik weet.'

'Maar we weten niet ver. Vandaag is het feest. We gaan naar de haven waar de boot aan de kade ligt. We halen hem net.'

'Ik heb gepraat met die chauffeurs. Afzetters. Er zijn er maar drie hier in D. Ik wilde met één van die chauffeurs praten. Ze kwamen met hun drieën aanzetten, dreven de prijs op tot een onzinnig hoog bedrag.

'Vandaar de whisky,' zei ik.

'Ja, vandaar die whisky.'

'Gij zult niet drinken omdat het feest is, omdat ge u beroerd voelt. Ge zult drinken om minder te betalen voor een taxi.' Ik schonk mijn glas vol. Dander, wil je een glas goede whisky? Het is feest. En het mag. We zijn samen.'

'Nee,' zei Dander. Haar rug was naar me toegekeerd, ze stond gebogen over haar koffers. 'Ik heb er vijf op.'

'Samen met afzetters – die hebben er ook vijf op.'

'Ja. Praat niet. Ik voel me beroerd.'

'Neem een koude douche.'

'Nee.'

'We hebben geen haast, het is nog vroeg. Heb je je ontbijt gehad?'

'Nee.'

'Je kunt misschien beter eerst iets eten. Er is nog aardig wat over van mijn ontbijt. Begin vast. Intussen bestel ik wat je er nog bij wilt hebben.'

'Nee.'

'Even liggen, dat helpt soms.'

'Nee.'

'Een vinger in je keelgat. Ik kan goed tegen het geluid van

kotsen. Zelf kots ik vaak, meer figuurlijk dan letterlijk. Verschil maakt het nauwelijks. Ga dus je gang. Het is te proberen. Heb je liever dat ik wegga?'

'Nee, blijf hier.'

'Norit misschien.'

'Klets niet.' Dander had haastig de kakibroek aangeschoten, een sporthemd aangetrokken. Hij draaide zich om. Zijn gezicht was grauw, gerimpeld, de mond vertrokken tot een doodskopgrijns.

'Vind je het fijn dat je je beroerd voelt. Wil je er niets tegen doen. De situatie laten zoals die is?'

'Niemand vindt het prettig zich beroerd te voelen.'

'Nee?'

'Nee. Maar jouw middeltjes werken bij mij niet.'

'Welke middeltjes werken bij jou?'

'Ik heb geen middeltjes.'

'Melk,' begon ik weer. 'Hoor es, jij bent medicus, ik de leek. Dit is alles wat ik van de situatie weet: je hebt nauwelijks geslapen, niet gebaad, niet ontbeten, je hebt onderhandeld met afzetters, je hebt vijf whisky's op, je voelt je beroerd en zo zie je eruit ook. Doe er iets aan. Ook al geloof je er niet in. Probeer het in elk geval.'

'Het gaat jou niet aan of ik me beroerd wens te voelen of niet.'

'Oh, dat spreekt vanzelf. Of je het wénst gaat me niet aan. Dat je je beroerd voelt, gaat me aan. Ik ben op me zelf gesteld, daarom ben ik op jou gesteld, daarom zou ik willen dat je je voelde zoals ik mij nu voel.'

'Diepzinnigheden.'

'Ja? Ik kan naar die andere kamer gaan als je dat beter uitkomt. Het irriteert meestal als iemand tegen je praat terwijl je je niet goed voelt.'

'Waag het niet de kamer uit te gaan. Blijf praten tegen me.' Hij draaide zich weer over de koffers. Geluidloos ging ik in de stoel zitten bij het tafeltje waar nog een deel van dat uitgebreide ontbijt stond. Het raam is open dacht ik, geen slaap- of etenslucht in de kamer. Dat kan hem niet beroerder maken. Nu dus een onderwerp om over te praten. Zonder tegen schotels te stoten, pakte ik de schaal met olijven. Ik schonk de whisky langs de binnenkant van mijn glas, zodat de vloeistof er traag in liep, niet te horen. Met de olijven en het volle glas ging ik naar die andere stoel bij het raam. Op straat klonk al geroep van venters. Primitieve kramen waren opgeslagen vlak bij het raam – de geur van geroosterd vlees, van onbekende etenswaren, drong naar binnen.

'Het raam liever dicht?'

'Nee,' zei Dander. Zijn stem klonk met de minuut geïrriteerder.

'Laat mij die koffer pakken. Dat gebuk –'

'Hou op met je bezorgheid. Dat maakt me gek. Praat over wat je maar wilt maar niet over hetzelfde.'

'Een half uur geleden was het wat anders. Toen zei ik: "Prosit! Op de vliegreis, op de havenplaats, op de boot." Beviel je ook al niet.'

'Toen had ik wel wat anders aan m'n kop.'

'En ik stootte het zesde glas om. Ook daarom is het voor mij feest vandaag. Vier glazen whisky over de tafel, drijfnat jullie alle vier. Het droop op de grond. Daarbij jullie maskers! Zo iets montert op.'

'Je zag ook een vriend op straat,' mompelde Dander. Wie?"

'De beste die ik tot nu toe heb gehad. Namen zijn onbelangrijk, ja, ook dat, die ontmoeting op straat, zo onverwacht, dat maakt deze dag tot een extra feest. Die afspraak dat we elkaar zullen treffen in de havenplaats. Er is nu iets om naar uit te zien.'

'Zo?' Dander smakte een koffer dicht. Het dreunde door de hotelkamer.

Hij draaide zich met een woeste ruk om: 'Toch zijn die feitjes bij elkaar niet belangrijk genoeg om de dag tot een feest te maken.'

'Als ik me feestelijk wens te voelen, gaat jou dat niet aan.'

'Het is geen reden om in je eentje te drinken.'

'Nee? Feesten moeten worden gevierd. Daar ben ik vóór. Samen is beter. Als er geen samen is, dan gaat het ook wel alleen.'

'Alleen drinken is verkeerd.'

'Ik eet erbij, ik douche erbij. Oh, dat bedoelde je niet. Je bedoelde wat je al hebt gezegd: in je ééntje drinken is verkeerd.'

'Ja.'

'Goed. Opnieuw dan maar. Zoals zoveel. Waarom is het verkeerd, Dander? Vermoei je niet met een antwoord. Je hebt genoeg aan je kop. Dat zei je al. In je eentje drinken – ik nam een slok – dat doe je niet omdat het niet hóórt. Waarom hoort het niet? Omdat duizenden mensen zich dat in hun kop hebben gezet. Omdat het in hun kop is geplant door Ma, Pa, de buurman. En wat in de kop wordt geheid, gaat daar vastroesten. Moeilijk het er weer uit te krijgen. Daar zijn, figuurlijk, hamer, beitel en zaag voor nodig.'

'Praat niet zoveel.'

'Ik praat, je hebt me dat opgedragen, al ben je het alweer vergeten. Over alles waar ik maar zin in heb, praat ik. Ik kies het weerpraatje. Dat heeft een functie. Ik ben vóór weerpraatjes, ze verbreken een stilte, ze zijn een soort groet, erkenning van de aanwezigheid van de ander die je niet rauw op z'n dak kunt vallen met iets dat er werkelijk toe doet. Zo iets gaat niet. Wat weet je van die ander af? Je geeft dus wat je te geven hebt: een zinloos abacadabra van woorden. Zinloos in schijn. Want in werkelijkheid geef je de ander je stem, je geeft de ander: Ik ben er. Dus jij bent niet alleen.'

'Klets maar door.'

'Goed, goed: zo'n weerpraatje dus of een door iedereen al gelezen bericht in de krant, het wijzen naar iets dat vlak voor je voeten ligt terwijl je toch waarachtig niet blind bent. Dat is best, ik doe er met genoegen aan mee. In Nederland: 'De Bilt heeft het weer mis vandaag – de hitte is benauwend – de kou is feller dan die de laatste tien jaren is geweest – Wéér een ander kabinet, vooruit ze doen maar – wat vind jij daar nou van: zomaar een president doodschieten – met die zogenaamde wetenschap gaan we op de ondergang toe – de lucht is radioactief, daarom regent het zoveel – dokters zijn klunzen, die ziekenhuizen?: je reinste abattoirs en maar raak snijen hoor – ik had eens een oom, een grootmoe, een vriend maar dat was een valse – zo zijn alle mensen, ik bedoel niet jou – als alles anders was gelopen maar de omstandigheden zaten tegen, je doet er niets aan – het is vuil, vies weertje – je moest mijn woning eens zien, een krot kun je het beter noemen – zie je nou wel, waar blijft de Bilt met z'n zon, daar begint het al te plenzen!'

Ik leegde het glas: 'Prosit Dander. Op al die soorten weer- en steeds – maar wéér – praatjes. Je hoeft er alleen: "Tja" op te zeggen. Of: "Zo is het." Je klakt met je tong. Het is ook wel bar, zegt je tong. En je glimlacht. De ander denkt: die voelt dat als ik, alléén ben ik niet. Niet helemaal.

Op je kamer, in je eentje, ga je dat alles niet herhalen. Het heeft dan geen functie meer. Maar drinken in je eentje, jawel. Op de goede ogenblikken beleef je er plezier van, ook zonder de ander. Je kunt iets vieren dat de moeite waard is, je kunt je angst even smoren en je prettiger voelen zoals je je prettiger voelt na het nemen van aspirine als je hoofdpijn hebt. Wil je aspirine, Dander?'

'Nee. Verdomme, nee!'

'Nou best. Het hoeft toch niet. Dus: Prosit Dander, op het weerpraatje, het almaarweerpraatje. En, o ja, op de duizenden koppen met de duizenden daarin vastgebakken gedachten. Eerst gehoord, toen nagezegd: een maal een is een, twee maal twee is vier, drie maal drie is negen. Koeien van waarheden napraten en vergeten dat het koeien blijven, als je er niets mee doet.'

Ik schonk me zelf weer in.

'Je wilt nog steeds niets?'

'Nee.'

Het glas hief ik wat omhoog naar het heller wordende licht: 'Daar ga je dan Dander! Als je niet oplet, dan ga je. Als wij niet opletten, dan gaan we. Eraan.'

De koffers waren gepakt. Er was ontbeten. We zaten op de veranda aan de straatzij van het hotel.

'Afzetters waren het, alle drie,' zei Dander. 'Ze hadden de touwtjes in handen natuurlijk. Drie taxichauffeurs zijn er in D. Die weten dat de karretjes het niet doen. Een hele afstand van hier naar het vliegveld. Vijf whisky's is niets. Maar dat gepingel!'

Dander tekende het met woeste gebaren in de lucht voor me uit: de drie chauffeurs, dat pingelen. Haar rok lag in wijde plooien over knieën die dun en breekbaar leken.

'We gooiden het op een akkoordje. Nadat ik die vier maal vijf whisky's betaald had natuurlijk. Toen bleek dat de ene chauffeur wel genoegen nam met de prijs. Alleen, hij kon niet. Hij hád al een vrachtje. De tweede rijdt vandaag niet. Hij moet weer naar de eeuwige begrafenis. Altijd kun je iemand oncontroleerbaar dood laten gaan. De derde doet het. Hij komt zo. Alles is in orde, gepakt, betaald, ja, geef me nog een whisky, die boot halen we dus.'

Terwijl we wegdoezelden in een plezierige roes – Dander dronk nu weer mee – kwam die taxichauffeur op het nippertje, het werd al laat, toch nog voorrijden. Hij grijnslachte. Zou ook hij een smoes hebben bedacht om zijn benzine te sparen – de vijf whisky's waren onherroepelijk en gratis naar binnen. Er kon hem niets gebeuren.

De eigenaar van het hotelletje, door een fooi op onze hand, overwoog misschien hetzelfde. Hij kwam naar buiten gerend, greep onze bagage en smeet koffers, tassen, manden, de taxi in, voordat de gammele wagen zelfs tot stilstand was gekomen. Vlak achter hem kwam ik met de kleinere reistassen aandragen. Snel duwde ik ze op de zitbank.

Alleen Dander deed niets. Ze hing apathisch in haar stoel en leek de straat af te speuren.

'Dander!' riep ik. 'Gauw! alles is net op tijd. We halen dat vliegtuig als we nu meteen gaan!'

Ze reageerde niet, keek zelfs niet in onze richting.

'Dander, je hebt het prima geregeld. Veel speling is er niet maar we zullen niet hoeven wachten.'

Onbeweeglijk bleef Dander in die stoel zitten. Ze deed alsof ze ons niet hoorde, keek de straat af, wenkte iemand en scheen niets te merken van wat vlak voor de veranda gebeurde. Ons haastig gedoe leek haar niet te interesseren.

Ik rende de treden van de veranda op, trok aan haar mouw.

'Dander! We moeten weg! Nu meteen. Anders missen we dat vliegtuig. Er gaat geen ander vandaag. Je hebt moeite gedaan die chauffeur te pakken te krijgen. Bederf het niet, maak er geen stommiteit van.'

Loom zei Dander: 'De sigaretten, ik heb de sigaretten vergeten. Jij rookt niet maar je weet dat ik niet zonder kan. Even geduld. Ik koop ze nu meteen.'

Ik wist waar ze naar uitkeek. Naar dat straatjongetje dat het enige merk sigaretten verkocht dat Dander rookte. De hoteleigenaar had ze nooit. Die kon er niet aankomen, had hij gezegd.

'Dander, we kopen ze over een uur. In de havenplaats kun je dat merk van je overal krijgen, dat weet je. Een uur hou je het toch wel vol. En als je het niet volhoudt, neem dan een pil voor mijn part. Je medicijntas zit vol met dat spul. En ik beloof het je: het eerste wat we doen aan de kust is sigaretten kopen. Kom nou!'

Ze haalde tengere schouders op.

'Jij weet niet wat dat is: een vol uur zonder sigaretten. Daar is die jongen trouwens al. Die koop heb ik zo voor elkaar. Hou op met dat zenuwachtig gedoe, slecht voor je hart.'

Giechelend als een schoolmeisje schoof ze haar stoel iets achteruit. Nu zag ik wie ze had gewenkt. Het jongetje kwam de veranda oprennen. Op haar gemak zocht ze een paar pakjes uit. Op haar gemak betaalde ze. Traag deed ze de pakjes in haar handtas, zag dat er nog plaats over was en deed een nieuwe bestelling bij het jongetje dat lachend – hij kende de mensen – naast haar stoel was blijven staan.

Ze begon te passen en te meten, gooide de inhoud van haar tas op tafel, pakte alles methodisch weer in, probeerde hoeveel pakjes sigaretten er pasten in de nu vrijgekomen ruimte. Er ontstond een woordenwisseling over het aantal al betaalde pakjes. Zij en het jongetje kwamen tot een akkoord. Daarop bestelde ze er nog wat pakjes bij die ze voorzichtig in haar tas begon te duwen. Haar portemonnaie! Nu had ze die toch onderin gestopt per ongeluk! Zij en het jongetje barstten in lachen uit. De inhoud van de tas kwam weer op tafel. Het tellen begon opnieuw. En hoeveel pakjes waren er ook alweer betaald? Hoeveel was ze nu nog schuldig? Een woordenwisseling bleek onvermijdelijk. Brieven, zakdoek, medicijndoosjes, haar beurs, de pakjes sigaretten, notitieboekjes, vulpen, lucifers, pakjes reismaandverband, wat los geld – het lag daar allemaal op die tafel. Dander hing lui achterover in haar stoel. Het jongetje stond lachend en op z'n gemak tegen de verandamuur geleund.

'Dander! De taxi. Het vliegtuig – het is zelfs nu al de vraag of we het nog halen. En de boot wacht niet.'

'Jij met je taxi! Jij met je boot, met je vliegtuig, met je minuten. Waar dient het allemaal toe. Ik ben zo klaar.'

Opnieuw begon ze een gesprek met het jongetje. Ze schaterden alletwee. De inhoud van de tas bleef op tafel. Alleen de zakdoek greep ze van het blad om er zich de lachtranen mee van het gezicht te vegen. Hadden ze het nog over de sigaretten? Nee, ze hadden het over iets anders. Ziedend van boosheid greep ik haar bij de schouders, probeerde haar overeind te trekken. Ze was zwaarder dan ik dacht. Het jongetje drukte haar met een stevige hand neer in de stoel. Hij maakte geluiden die de ongepastheid van mijn houding goed moesten doen uitkomen. Met handen die trilden van woede greep ik Danders tas. Zo rustig mogelijk stapelde ik daar alles in. De beurs legde ik er schijnbaar kalm naast. Ze moest hem die tweede bestelling nog betalen. Maar haar verhaal aan hem was niet uit. Het gelach was nog niet van de verstikkende lucht. Danders beurs bleef liggen waar hij lag. Ik keek naar de parkinsoniaboom aan het eind van de straat. Bougainvillea zoals hier zie je nergens, dacht ik. In deze plaats zou ik wel altijd willen wonen. Waarom weggaan. Wat komt een maand erop aan, wat doet een jaar ertoe. Rustig keek ik op Dander neer die nu nog luier in haar stoel hing. Het jongetje schurkte met zijn schouders heen en weer tegen de muur om niet té hard te lachen.

Als ik blijf staan, dacht ik, dan vermoord ik haar. Ik vermoord haar of het de gewoonste zaak van de wereld is. Ik heb het gevoel al dát het de gewoonste zaak van de wereld is. Die fles whisky, een flinke gelukkig. En bijna vol nog. Die sla ik aan scherven op dat hoofd van haar. Voor dat plezier zal ik met plezier levenslang in de gevangenis zitten. Levenslang duurt in de praktijk toch maar 15 jaar. Het zou een goede koop zijn.

Mijn ene hand stak ik uit naar de fles, de andere reikte naar het glas. Op datzelfde moment gleed Danders arm met een langzaam gebaar naar haar beurs. Ze nam die beurs niet op. Ze bedekte hem alleen – gedachteloos misschien – met haar hand. Even raakten onze vingertoppen elkaar.

'Dander!'

Ze reageerde niet, bleef doorpraten, doorlachen, van mij afgewend. Ik rukte mijn hand met de fles erin van de tafel, weg van haar vingertoppen. Over het lage muurtje smeet ik fles en glas op straat, ik rende de gelagkamer binnen waar het schemerdonker was en koel, de blinden waren gesloten.

Achter de bar zat de eigenaar te neuriën. Alsof hij erbij had gestaan bij die tafel, bij mijn gedachten, zei hij terwijl hij zijn handen bekeek: 'Ik hoop dat ik er goed aan heb gedaan. Tien minuten geleden heb ik het vliegveld opgebeld. Ze hebben beloofd een half uur te wachten. Een half uur. Langer gaat niet. Ook dit ging eigenlijk al niet!'

Ik legde wat geld op de toonbank, ik glimlachte tegen hem.

'Maar nu moet die taxi meteen weg. Het is minstens een kwartier rijden. Ik zal het vliegveld opbellen zodra de taxi onderweg is.'

Ik bleef hem glimlachend aankijken: Bijna had ik haar vermoord, dacht ik, dat scheelde geen haar. Het scheelde een vingertop. Die had er ook niet kunnen zijn. Was Dander in dat geval nu dood? Was ik dan moordenares. Niet zo maar moordenares. De moordenares van Dander?

'Die kamers kunt u natuurlijk houden. Zolang u wilt. Ik verdien eraan. Mijn vrouw is razend over dat telefoontje naar het vliegveld. Ik zelf ben ook razend. Ik weet niet meer waarom ik heb gebeld. Omdat u per se met die boot mee wilde, denk ik. Of omdat ik de pest heb aan mijn vrouw. Of aan dat straatjoch of aan die man in vrouwenkleren daarbuiten. Of niet de pest aan u. Wat weet je ervan. Je doet iets. In een seconde doe je iets. En het is gebeurd.'

De flessen op de bar draaiden om me heen. Zo leek dat. In een seconde had ik haar kunnen vermoorden. Ik bleef glimlachen.

'Je hebt soms geen tijd om na te denken. Dit hier,' de eigenaar sloeg op het front van z'n losgeknoopt overhemd, 'dit hier is sneller dan je gedachten.'

Maar ik heb het niet gedaan. Ze zit buiten, ze leeft, ze lacht, ze weet niet dat ze dood had kunnen zijn. 'Dit hier' was sneller dan mijn gedachten. Juist. Maar 'dit hier' wilde dat Dander zou leven.

Ik gleed van de barkruk af, hield op met dat geglimlach, stak de eigenaar mijn hand toe. Ook hij kwam plotseling in actie.

'Nu snel, snel!' riep hij. De deuren naar de veranda gooide hij wijd open. Het jongetje smeet hij de straat op. Maar die bleef vlak voor het lage verandamuurtje staan, dicht bij Danders tafel. Hij had z'n geld zeker nog niet.

'De eigenaar heeft voor ons opgebeld naar het vliegveld. Ze hebben daar beloofd het vertrek een half uur uit te stellen. Betaal even – als we nu direct gaan, halen we het best.'

Dander draaide een schamper gezicht met smalende mond naar me toe: 'Nog altijd zo'n haast?'

Haar hand lag op die portemonnaie, nog steeds. Ze verroerde zich niet. Langzaam liep ik de paar treden naar de straat af. Ik zag nog net dat de jongen het blijkbaar heel gebleven glas in zijn broekzak deed en gulzig begon te drinken uit het benedendeel van de gebroken fles. Danders koffer en tassen rukte ik uit de taxi. Ik smeet ze in haar richting zonder haar kant uit te kijken. Goed. Ik ging alleen. Met Dander had ik niets te maken.

'Wacht!' Haar stem klonk nerveus. 'Ik betaal al, ik ga met je mee, we halen het best. Wacht op me!'

Ik hoorde het openknippen van haar beurs, het geritsel van papiergeld. De jongen was met één sprong over het lage muurtje heen, drong me opzij, stouwde Danders koffers weer in de taxi. Ik wachtte.

'Kun jij dit biljet wisselen?'

We gaan samen, dacht ik alleen. Dander gaat mee. Alles komt in orde. Ik draaide me om.

'Dát biljet? Je weet toch dat ik alleen kleingeld heb.'

'De eigenaar misschien?'

Die schudde het hoofd. Wie had zóveel wisselgeld in huis? Dander had het geld al aan het jongetje gegeven.

'Dat is een handige. Die heeft het in een minuut gewisseld. Kom zolang even zitten.'

De jongen was de straat uitgerend. Het grote stuk papiergeld wapperde in zijn hand toen hij om de hoek verdween.

In de taxi ging de chauffeur languit op de voorbank liggen, zocht, vond de beste houding en sloot de ogen. Een paar seconden later hoorde ik zijn gesnurk.

Intensief de tegelvloer bekijkend, liep ik naar de stoel die vlak naast Dander stond. Ontspannen glimlachte ik tegen haar, ging zitten, vouwde mijn handen in mijn schoot. Over een aantal jaren zouden we allemaal afgekloven beentjes zijn. Of as. Daarna zou iemand van tijd tot tijd nog eens onze namen noemen. Dan niet meer.

Geluidloos sloot de eigenaar van het hotel de deur. Geluidloos. Hoe kon dat toch zo definitief klinken.

'Ik kan het nu eenmaal niet hebben,' zei Dander na tien minuten zwijgen. 'Die jongen heb ik vertrouwd. Winkels, zijn familie, kennissen, alles vlak om de hoek. Hij had al lang terug moeten zijn.'

Een plotselinge lauwe wind bracht koelte in de hete straat, deed de bladeren van de Parkinsonia bewegen. Paarsrode bougainvillea maakte zich los van de takken, schoof langs de terrasmuurtjes. Het ritselde op alle wegen.

'Aan de kust staat genoeg geld op de bank. Laat die jongen nu maar. Voor hem is het een kapitaal, denk ik. Zoveel is dat papier voor ons niet waard, al is het een flink bedrag. Kom mee. We kunnen het nog proberen. Morgen is die boot waarschijnlijk weg.'

Ik stond al naast mijn stoel, mijn ene hand steunde op de tafel, ik keek Dander aan.

'Ga niet weg! Een paar minuten nog. Ik zál weten of hij me bedriegt of niet.'

Was die angst in haar ogen echt, gespeeld?

Wat zou die jongen nou gaan doen met dat geld, dacht ik, wat kan zo'n jongen hier ermee willen doen. Ik probeerde me dat voor te stellen, mijn gedachten op hem te concentreren, me prettige dingen voor te stellen. En wat zal hij voortaan, als de whisky op is, drinken uit dat glas?

'Nee,' zei ik tegen Dander, 'je kunt dat geen bedriegen noemen.' Lachend tikte ik tegen mijn bloesje: 'Dit hier, is soms sneller dan dat daar (een tik tegen mijn schedel). Je weet maar nooit wat sneller is.'

'Als hij mijn geld heeft gepikt, is hij een dief!'

'Maar in ieder geval geen moordenaar. Wie weet heeft hij nog nooit aan een moord gedacht, nooit overwogen iemand de hersens in te slaan. Hij is jong, vrolijk, nog schuldeloos vermoed ik. Een leven is belangrijk. Geld niet. Vergeet dat bedrag. Spreek hem vrij.'

'Daar gaat het niet om, niet om het geld. Het is meer dat ik hem vertrouwde.'

'Klets niet, Dander. Je kende hem nauwelijks. Het was duidelijk dat hij arm is. We staan op het punt te vertrekken. Dom is hij niet. Hij weet alles af van het vliegtuig, van de haven waar maar af en toe een boot komt. Jij geeft hem dat geld. Om te wisselen? Nee. Je gaf het hem cadeau.'

Vlug zei Dander: 'Dat ik daar niet eerder aan heb gedacht! Natuurlijk is hij naar zijn grootvader. Een bekende woekeraar hier, die heeft altijd veel geld in huis. En hij woont aan de rand van het dorp. Een flink eind lopen is het. Die jongen kan nu elk moment terug zijn met het gewisselde geld. Hoe kwam ik erbij, dat hij me zou kunnen bedriegen. Als hij een dief was geweest, als hij mij had bestolen, had ik dat onvoorstelbaar erg gevonden. Maar hij rent voor me door de straten in deze hitte, hij kan me niet bedriegen.'

'Of hij je "bedriegt" of niet, is onbelangrijk. Wanneer hij terugkomt met dat geld en wij zijn weg, dan heeft hij mazzel. Komt hij niet terug, dan was "dit hier", bij hem sterker dan "dat daar". Mogelijk is het de kans van zijn leven. Laat hem lopen.'

Ik weet het vrijwel zeker, dat van die woekeraar. Die jongen vliegt voor me naar het huis van zijn grootvader, wisselt het geld, buiten adem komt hij zo meteen de hoek om. Stel dat we dan weg zouden zijn!'

'Dan werpt hij zich wenend op de treden van het terras, verscheurt zijn kleren, strooit as over zijn hoofd. Ja, ja!' Mét mij scheen de Parkinsonia, de bougainvillea, honend mee te lachen.

'Levka, laat me niet in de steek. Nog even maar en hij komt de hoek om.'

'Denk je?'

'Ik ben zeker! Laat me niet alleen.'

We keken elkaar aan, Dander en ik. Verder dan elkaars nietszeggende ogen kwamen we niet.

Onverschillig opeens, ging ik zitten. Wat wist ik van Dander. Misschien was 'dit hier' op het moment voor haar sterker dan 'dat daar'. Of ze pestte zo maar es. Natuurlijk niet zo-maar-es voor haar. Zo-maar-es voor iemand die nergens van wist.

Ik liet me behaaglijk onderuit glijden in de stoel, haalde de opvouwbare zonnehoed uit mijn tas die aan mijn voeten stond, bedekte mijn hoofd. Het had maar enkele minuten gekost mezelf vrij te spreken van een bijna-moord. Heel wat langer had het geduurd voor ik Dander vrij kon spreken van iets waarover ik niet kon oordelen, bravo, Levka!

Mijn voeten legde ik op het lage muurtje, ik deed mijn ogen dicht en sliep in.

De vrachtboot was een dag langer aan de kade blijven liggen. Toen we de volgende dag aankwamen voer hij net de haven uit. We namen kamers in hetzelfde hotel waar ik Dander voor het eerst had gezien. Alles was als toen. Dander en ik kregen dezelfde kamers die we een paar weken geleden hadden gehad. De palmen op de bovengalerij zagen er even onverzorgd uit, de stoelen glommen vettig als in die tijd die plotseling lang geleden leek. De eigenares schonk weer ongevraagd dubbele whisky's in van het slechte soort. Om 5 uur in de middag zaten dezelfde terraszitters aan dezelfde tafeltjes van toen, de verminkte bedelaars, de kooplui waren niet veranderd, hun woorden dezelfde gebleven, de scheepsagent had hetzelfde machteloze gebaar behouden: een boot? Wie kon weten wanneer er zo gauw alweer een boot deze haven zou aandoen, er was er immers net een geweest? Als ik haast had, als ik nu per se hier al weg wilde

– terwijl ik er toch nauwelijks was nietwaar, meer dan twee maanden kon het niet zijn geweest – nou dan moest ik eerst naar de hoofdstad, terug naar het plateau, en vandaar naar die andere kustplaats in het noorden vliegen, daar kwam nog wel eens een vrachtschip langs. Wanneer? Hij stak z'n beide handen omhoog. Wie kon dat nu voorspellen. Afwachten, het enige.

De eerste dagen ging ik nog geregeld naar zijn kantoor. Altijd als ik er kwam, op welk uur van de dag ook, was het stil in dat gebouw. Wel zaten er mensen, steeds op dezelfde plaatsen, schijnbaar in dezelfde houding. Hoe scherp ik ook oplette, nooit zag ik dat ze ergens aan bezig waren. Wel was er een onduidelijk heen en weer geloop in de grote kantoorruimte alsof het werk bestond uit het van de ene kast naar de andere verplaatsen van stukken die geen mens ooit zou inzien. Soms stond er iemand voor het raam naar buiten te kijken, bewegingloos, tijdenlang. Maar ik werd altijd gegroet. Die groet, steeds anders, was wat de dagen, de uren dat ik er kwam, van elkaar onderscheidde.

'Wilt u ook iets kouds drinken?'

'Goedenmorgen!'

'Geluk deze dag!'

'Goedemiddag.'

'Gaat u morgen mee naar de Griekse Club?'

'Halloh!'

'Weet u dat er vandaag een fancy fair is? De moeite waard.'

'Misschien weet de consul iets? –'

'Ik geloof niet dat er bericht gekomen is over een vrachtschip maar de kans bestaat dat –'

'Tot ziens!'

'Tot vanavond!'

'Tot vannacht!'

De scheepsagent zat in een aparte kamer – zoals weken geleden – bewegingloos onder de draaiende fan. Hij droeg hetzelfde tot op zijn navel openhangend hemd, dezelfde shorts. Ze waren nu iets vuiler misschien. Altijd schudde hij het hoofd als ik binnenkwam. Weer liet hij me – zelf daadloos – gebruik maken van de telefoon op zijn met inktvlekken bedekt maar voor de rest leeg bureau.

Ik kwam opnieuw in die bridgeclub terecht. Tijdens een van die avonden daar gebeurde het.

Het was, meen ik, madame Despard die het initiatief nam. Midden dertig leek ze, vrij knap van uiterlijk, altijd met zorg gekleed in wat door Dior in Parijs tot iets exclusiefs was gemaakt. Tot iets dat háár, madame Despard, op de goede manier exclusief maakte.

Alleen, het waren toiletten van een jaar of vijf, zes geleden. Die waren allemaal zoals ik wist – en zij ook want ze kreeg alle Franse modebladen – allang uit de mode. In dit kustplaatsje vooral deden ze ridicuul aan. Dat ze er toch niet belachelijk in uitzag kwam door haar persoonlijkheid, haar houding. Ze had een zak kunnen dragen met de gebaren van een diplomate die een belangrijk land vertegenwoordigt. Zonder opzien, eerder door bewondering te wekken had ze dat kunnen doen.

Madame Despard dus. Met haar heimwee naar Parijs, naar Antoine, de Franse kapper die haar van alleen-maar-knappe-vrouw tot een opvallende schoonheid had kunnen maken. En met haar man, dag en nacht in beslag genomen door een project waar hij hier aan werkte en waar zeker nog wel een jaar of tien mee gemoeid zou zijn. Langer misschien want hij had het hier naar z'n zin.

Madame Despard had een lange weg van verveling voor zich. Ze zou sneller dan in Europa oud worden en Antoine zou bij haar thuiskomst niet meer zoveel kunnen maken van een vrouw die tegen de vijftig liep en ongeveer een kwart eeuw in de tropen had doorgebracht.

Bridgen was haar voornaamste ontspanning. Ze kleedde zich zo'n avond als voor een feest. Haar donkere haar glansde, de buitenissige hangers in haar oren tinkelden en waren van een lengte die niet iedere vrouw zich zou kunnen veroorloven.

Ik mocht haar graag. Ze was intelligent op een indolente manier. Misschien kwam dat, dacht ik, doordat hier, in dit plaatsje intelligentie overbodige waar was, iets waar je niets voor kocht en dat maar tegenwerkte bij het uitspreken van altijd weer dezelfde zinnen.

Nooit heb ik die neiging je te houden aan het eenmaal bekende zó beleefd als daar aan die kust.

De ontspanning die voor haar ná het bridgen kwam, bestond uit de ongetrouwde postmeester waar ze openlijk een verhouding mee had.

In een plaats als deze was elke poging iets van je daden geheim te houden futiel. Ik nam aan dat ze het zelfs niet had geprobeerd. Voor haar was die verhouding geen passie. Het was een uit verveling begonnen tijdverdrijf.

'Je haat het, zoals alles hier,' zei ze, zodra ze merkte dat ik er van had gehoord (en dat was gauw). Ze merkte alles onmiddellijk op.

'Toch raak je eraan gehecht. Aan altijd diezelfde zinnen, dezelfde hoffelijkheid, eenzelfde manier van doen. Jij bent hier kort maar ook jou zou het te pakken krijgen.'

Ik keek er de postmeester op aan. Een verwoed bridger die niet tegen zijn verlies kon. Het succes van de avond stond of viel met de lijdzaamheid, de onverschilligheid of het geduld van zijn partner. Genoeg fantasie voor een vrouw als madame Despard zou hij niet hebben.

Op een avond liep ze gastvrouwend door de grote vertrekken van haar eigen huis. Overal stonden de bridgetafeltjes klaar, de spelers dronken nog wat of waren al verdiept in het spel.

Herinner ik het me goed? Ja. Ze droeg een zwarte japon met glinsterende lovertjes. De snit was perfect, haar figuur goed maar de lengte en stijl van haar rok niet.

Snel voegde ze van de laatkomers de juiste paren bij elkaar.

Feilloos wist ze wie bij wie moest zitten. De meesten verlangden niet beter dan altijd dezelfde partner.

Die avond waren er twee personen te veel doordat iemand onverwacht bezoekers uit verderop gelegen plaatsen had meegebracht. Kon het een catastrofe worden? Maar nee. Mij schakelde ze meteen uit. Zonder dat we er ooit over hadden gepraat wist ze dat ik geen behoefte had aan het spel. Ik kon er altijd nog mee beginnen, dacht ik, als ik te oud was geworden voor andere, meer lichamelijke activiteiten. Omdat ik me duidelijk afzijdig hield, stond een van de gasten van een tafeltje op. Hij was oud, vergeleken bij mij, bovendien slap van houding. Na een kort gesprek bleek zijn geest onherstelbaar verkreukeld door te veel drank, te weinig vrouwen, nauwelijks afleiding. Van zijn werk hield hij niet, dat vertelde hij nog. Verder wist hij niets te zeggen. In mijn toen jonge ogen was hij een nauwelijks ademende, al haast afgelegde stervende. Ik probeerde een moment wat meegevoel voor hem op te brengen maar zijn stinkende adem wekte te sterke afkeer in me.

Madame Despard had die afkeer al gemerkt. Zelfs vermoed ik dat ze zag dat ik over een paar minuten met een opgewekte uitvlucht haar huis uit zou lopen.

Ze fluisterde iets tegen de postmeester, die toestemmend knikte. Nou ja, hij zou toestemmend knikken bij alles wat ze zei. Omdat hij geen eigen mening had, omdat hij niet op kon tegen haar.

Hij liet zijn gezelschap achter, liep naar mijn lichamelijk en geestelijk kreupel verklaarde partner – hoe weinig tijd had ik in die dagen nodig om tot een dergelijke veroordeling te komen – en slaagde erin de man op zijn vrijgekomen plaats te krijgen.

Vooruit, de postmeester dus. Als madame Despard meende dat hij beter gezelschap was, dan zou ik hem proberen.

In ieder geval kon ik haar nu niet kwetsen door meteen – met welke aannemelijke reden dan ook – te vertrekken. Ze zou merken dat, wat ik ook zei, een smoes was. Ze zou de enige van het hele gezelschap zijn die het direct zou merken. En van dat hele gezelschap was zij de enige die er voor mij op aan kwam, waar ik wel iets voor wilde proberen uit te houden.

De postmeester bleek saaier, levenlozer dan ik had vermoed. Voor madame Despard had er wel iets beters mogen zijn, overwoog ik. Maar hij was de enige vrijgezel hier. Een verhouding met hem werd nog net geduld door de anderen, omdat haar man het duldde, omdat ze een huis aan zee had, bridgetafels en drank volop. Een getrouwde man, nee, dat had niemand genomen, ook al zouden ze door dat niet aanvaarden van haar keus hun voornaamste afleiding zijn kwijtgeraakt. Iemand was er zó over gaan denken, had het uitgesproken. Ze hadden het hem nagezegd, het was tot een van de eeuwig herhaalde zinnen gaan horen en daarmee tot wet gemaakt.

Van geen enkel onderwerp wist die postmeester iets af. Dat gaf natuurlijk niet. Als hij dan maar een idee had ontwikkeld, zelfbedacht. Dat zou nog beter zijn geweest dan opgespuide boekjestheorie. Maar niets.

'Warme avond.'

'Ja.'

'Een bijzonder warme avond.'

'Ja. Neemt u me niet kwalijk dat ik geen "nee" kan zeggen ter afwisseling. U heeft gelijk.'

Aardig wat gedronken had hij. Dat zag ik aan de manier waarop hij een glas cognac voor me haalde en het naast mijn uitgestoken hand duwde zodat alleen een snelle beweging van mij kon voorkomen dat het glas met inhoud op de vloer terecht kwam.

'Wat zei ik ook alweer? Waar hadden we het over?'

'Een bijzonder warme avond, heeft u gezegd.'

'En u ontkende het.'

'Welnee, ik gaf u gelijk. Het is een warme avond.'

'Ongebruikelijk warm. Heet kun je wel zeggen.'

Ik knikte. Arme madame Despard. Zo'n vrouw met zo'n echtgenoot. En dan met zo'n minnaar.

'Ongebruikelijk warm, het ís zo!'

Een ogenblik dacht ik na over juist dát woord 'ongebruikelijk'. Het leek me niet passen in het zinsverband maar omdat hij erop scheen te staan de toestand op deze manier te formuleren knikte ik nog eens, hij had gelijk, niemand had zó gelijk als hij.

Al jaren gaat dat zo door voor haar, dacht ik, en ze blijft levend, ze kleedt zich in Dior van vijf jaar geleden. Oorbellen draagt ze alsof dit leven een feest is. Daarbij denkt ze.

'Hoe is het mogelijk.' Ik had het hardop gezegd.

De opmerking viel uit de toon. De postmeester keek me fronsend aan. Hij peinsde lang over een antwoord, vond er geen.

'Zo'n hete avond hebben we in jaren niet gehad,' zei hij ten slotte.

'Nee? Laten we naar buiten gaan. Ons voorstellen dat er een gure ijskoude wind staat –'

'De wind is óók warm.'

'U heeft gelijk. Ik zei: laten we het ons voorstellen. De fantasie is oppermachtig. Die triomfeert over de realiteit, over wat realiteit wordt genoemd.'

'Die warme wind, dat is de realiteit.'

'Bijna niet te harden, he?' zei ik haastig.

Zo vaak had ik het al vergeefs geprobeerd met hem. Vermoeid ging ik tegen de koele muur leunen. 'Ongebruikelijk warm.'

'Zo is het! Nu geeft u het dus eindelijk toe. In deze tijd van het jaar verwacht je zo'n hitte niet in de avonduren.'

'Je verwacht geen warme wind. Je verwacht een lauwe wind.'

'Precies! Een lauwe wind. Zo had het moeten zijn.' Hij knikte heftig. 'Maar wat gebeurt er? Een warme wind. Je moet het maar nemen. De realiteit onder ogen zien. Erover praten.' Ik dronk mijn glas leeg. Was het onderwerp nu van de baan? Als het verder ging stond ik voor de keus madame Despard te kwetsen of stomdronken te worden. Ik keek naar haar, zag dat ze op ons lette, dat ze mijn gezicht afspeurde naar een nauwelijks merkbare trek van verveling of ergernis.

'Ik merkte het op weg hierheen,' zei de postmeester.

'Wat merkte u?' Nu kon madame Despard interesse zien als ze naar me keek.

'De hitte natuurlijk. Ongebruikelijk voor de tijd van het jaar. Ik heb het u toch verteld. Of vertelde ik het een ander. Dan moet u horen –'

'Nee, nee, u heeft me er alles van verteld.'

Het geïnteresseerde glimlachje probeerde ik hardnekkig op mijn gezicht te houden. Dat lachje was voor haar. Of voor het lot dat bepaald had dat niet ik madame Despard hoefde te zijn.

'Zei u iets?' De postmeester boog zich beleefd naar me toe.

'Nee, ik zei niets. Het is het geluid van de zee.'

'Of het rumoer van stemmen.'

'Misschien het geritsel van kleren, het vallen van kaarten op vilt, het volschenken van glazen, het breken van een enkele fles.'

'U bent een merkwaardige vrouw.'

'Dat spijt me. Het moet de cognac zijn. Of wie weet de ongebruikelijke hitte?'

Madame Despard bleef kijken naar mijn gezicht. Ik lachte. Voor haar. Om haar de illusie te geven dat haar minnaar zo gek nog niet was.

'Ah! U bent het eindelijk met me eens. U vindt het ook heet.'

'Voor de tijd van het jaar? Beslist.'

Mijn mimiek, mijn gebaren, alles in orde. Ze zat een eind van ons vandaan. Ze kon denken dat we het hadden over kunst, politiek, de nieuwtjes van de wetenschap, een plezierig schandaal uit de omtrek, een vermakelijk voorval.

'Je kijkt er raar van op als het in de avond zo warm is!'

'Warmer dan gisteravond, ja, daar kijk je van op.'

'En in deze tijd van het jaar moet je nagaan.'

'Ik ga het na. Ik ga het uiterst nauwkeurig na. Het klopt!'

Hij was te dronken voor een ander onderwerp. Hij haalde een gore zakdoek te voorschijn, begon er zijn rood, bezweet gezicht mee af te vegen. Ik zag hem opeens op een kantoor waar nauwelijks iets viel te doen. Ik zag hem in zijn huis. Alleen. Ik zag hem een enkel uur met madame Despard. Het kon niet veel langer zijn. Hij bezat geen fantasie, zou een slechte minnaar zijn en te vertellen had hij niets.

'Hoe lang bent u al in deze plaats?' vroeg ik hem.

Hij maakte een onbestemd geluid. Het kon gesmoord hikken zijn. Het kon zijn soort steunen wezen. Wat wist ik van hem?

'De hitte...' begon hij. Ik liet hem praten.

Dít, dít! Zelfs voor haar kon ik het niet opbrengen.

Woede, die door machteloosheid ontstaat, de hevigste woede die er is, kwam in me op. Letterlijk haast, in ieder geval lichamelijk voelbaar, trok verlamming van mijn tenen omhoog naar mijn hoofd. Zoals bij dat gif dat Socrates te drinken kreeg, dacht ik nog.

Ik probeerde die postmeester niet te zien, madame Despard weg te denken – wat had ik te maken met haar leven. Het was mijn leven niet. Ah, ja. Dat was het juist: het was mijn leven niet. Had het mijn leven kunnen zijn?

Aan Dander dacht ik, die niet meer uit het hotel kwam, daar maar bleef zitten op die bovengalerij. Hij had zich weer in een grauwe burnous gewikkeld, zat in de vettige stoelen alsof hij er niet uit was geweest, of hij er nooit meer uit zou komen. Had dat mijn leven kunnen zijn. Als ik ergens anders geboren was. Als mijn intellect voldoende zou zijn geweest voor een studie in de medicijnen, voor een specialisatie, mijn moed groot genoeg voor een twijfelachtige proefneming, die op dat moment noodzakelijk leek. Wat wist ik van hem af? Zou ik, in zijn omstandigheden, met zijn geaardheid, iets anders hebben gemaakt van mijn leven? Daar zou nooit een antwoord op komen.

Glimlachend bleef ik de postmeester aankijken. Hij deed alles wat in zijn vermogen was om mij bezig te houden. Hoe kwam het dat zijn vermogen zo klein bleef. Er viel geen oordeel over te vellen.

'Een mens kan niet alles uithouden,' mompelde hij, 'een hete dag, dan ook nog een hete avond!'

Met overtuiging knikte ik, probeerde peinzend naar hem op te kijken, maakte een gebaar naar mijn voorhoofd, alsof ik zocht naar een antwoord op een uitzonderlijk moeilijke opmerking. Misschien wás het een uitzonderlijk moeilijke opmerking om op te antwoorden?

Ik moest eruit. Maar zij keek nog steeds naar mijn gezicht. Ik kon hem daar niet laten staan, haar voor gek zetten. De moed ertoe ontbrak me die avond.

'Laten we een eind langs het strand lopen.'

Hij moest dan maar mee. Een, twee, hup en gauw ook.

'Lópen?'

'Jawel, lópen. De ene voet voor de andere en dan datzelfde van voren af aan. Opnieuw.'

Hij staarde me verschrikt aan: 'Lopen?'

'Gewoon lopen, ja! Stap, stap, stap, weet u nog? "Lijsje leerde Lotje lopen in de lange Lindelaan". Maar in Frankrijk waren geen Lijsjes. "Louise leerde Postje lopen op de rue de Rivoli". Was dat voor niets? Kom, laten we ter ere van Louise, ter ere van de rue de Rivoli, gaan lopen langs het strand. Of slenteren als u wilt. Of zitten in het zand.'

'U bent een type hoor!'

'Kolossaal, dat heeft u gauw bekeken.'

Ophouden, Levka, je zou er jaren geleden al mee ophouden. Zo iets kan toch makkelijk. Je aanpassen. Anders stoten ze je uit.

'Ik moet dat madame Despard eens vertellen, wat voor een type u bent, heel grappig!'

Als ze me niet gauw uitstoten, dan ga ik kapot. Ik ga eráán in de troep. Erom gevraagd heb ik niet. Ik ben er niet blij om. Ik lig er 's nachts niet om te huilen. Maar de feiten staan zo: ik wil me niet aanpassen, ik wil leven. En dat wil zeggen: ik wil doen wat voor mij leven betekent. Dander, de postmeester, Levka, madame Despard, al die anderen ook, we zijn zo. We hebben onszelf gemaakt of niet gemaakt – onbelangrijk – waar het op aan komt is: leven.

Mijn geduld was op. Madame Despard mocht van mij naar de maan. Ze zou waarschijnlijk graag willen als ze maar kon.

Met mijn rug naar haar toe, siste ik tegen de postmeester: 'We gaan een eind lopen. Nu meteen! Ik voel me niet best.'

Niet best! Ik voelde me luizig. Hoeveel cognac had ik op?

Hij aarzelde.

'Die ongebruikelijke hitte ook,' mompelde ik zwakjes.

Dat was de verlossing.

Zwakke, jonge vrouw, onwel geworden door ongebruikelijke hitte. Steun nodig van krachtig manspersoon.

'Gaat u even liggen. Buiten is het hier in het donker niet altijd veilig. Er zijn Nasseraanhangers.'

Ik was geen Nasseraanhanger maar nam hij aan dat elke Nasseraanhanger in het donker iemand naar zijn politieke overtuiging zou vragen en hem bij een antwoord dat niet beviel een mes tussen de ribben zou stoten? De vent was gewoon te beroerd om een poot te verzetten.

Ik liep naar de tuindeuren maar nu hield hij me toch tegen. Ten slotte was hij de sterke macht, gereed om met inzet van zijn leven een zwakke vrouw te beschermen.

'Een ogenblikje.'

Snel liep hij naar het buffet, nam er een volle fles cognac af, propte twee glazen in zijn zak en kwam opgemonterd naar me toe. Met die kersverse uitrusting zou hij een eindje lopen langs het strand wel klaar spelen.

'U wilt niet wat rijden met de wagen?' vroeg hij toch.

'Nee.'

Hij wist links en rechts niet meer van elkaar te onderscheiden.

Terwijl ik langs mijn gastvrouw liep, zei ik tegen haar: 'We gaan even een wandeling maken. Een eindje het strand op.' Ik keek haar enthousiast aan.

'Hij is op z'n best vanavond,' fluisterde ik. 'Een kostelijk verhaal is hij me aan het vertellen. Ik wil het allemaal goed horen. In een volle kamer komt zo iets niet tot zijn recht. Dan kan ik er niet echt van genieten.'

Haar gezicht leefde op, haar huid kreeg de glans die sommige jonge meisjes hebben. Haar plan was gelukt. Jaloers hoefde ze niet te zijn. Al vond ik hem op dit moment blijkbaar amusant, ze had heel goed in de gaten dat hij niets was voor mij, niets, met wie weet hoeveel cognac in mijn maag, nog niet voor twee minuten, zelfs niet op het befaamde onbewoonde eiland.

Tevreden zag ze ons de deur uitgaan, keek ons na terwijl we naar het strand liepen. Ik zwaaide even.

'Een verhááI?' aarzelde de postmeester.

Verdomd, hij had het gehoord. Op hem had ik niet gelet en blijkbaar had hij vlak naast me gestaan terwijl ik mijn uitleg gaf.

'Dat heeft u toch gezegd? U zou me het verhaal van uw leven vertellen. Het moet een belangwekkend verhaal zijn, dat hoorde ik al aan de eerste zinnen. De geluiden in de kamer leidden me af. Dat vond ik jammer. Niets wil ik missen van die geschiedenis. Begin opnieuw alstublieft.' Laat ze maar doen wat ze doen willen. Zeggen wat ze willen zeggen. Vanavond speel ik nog mee. Maar ik stel mijn condities. Drie maal drie is zevenentachtig, zegt de computor. Vooruit maar!'

'Een verhaal...'

Hij is te dronken om te weten wat hij tegen me heeft gezegd. De wind is lauw. Ik trek mijn schoenen uit, mijn tenen graven zich behaaglijk in het zand. De sterren roep ik tot getuige: Ik, Levka, ik pas me aan. Ik verstoor de orde niet. Een kleine leugen is daarvoor al genoeg.

Terwijl ik een eindje het water in liep, een kwal het strand opschopte met mijn blote voet – als je dat op de juiste manier deed voelde je er niets van – stond de postmeester stil op het strand en ontkurkte de fles.

Heen en weer lopend in het water, de golfslag tegen mijn kuiten, keek ik naar hem, zag hoe hij zich bukte, voorzichtig de fles in het zand zette. De gore zakdoek kwam weer te voorschijn, werd om zijn rechterhand gewikkeld. Stram voorover buigend begon hij met die beschermde hand twee ondiepe kuiltjes te graven in het zand. Ik hoorde hem hijgen toen hij zich oprichtte. Hoe oud zou hij zijn? Tegen de veertig? Van mij kreeg hij niet meer dan hoogstens tien jaar. Dander zou het willen vaststellen. Hij was dokter. Dokters wisten soms allerlei dingen. Ze wisten niet of het uitkwam wat ze wisten, dat sprak, maar ze wisten dat het uit zou kúnnen komen. Ze zeiden dat drank, de tropen, een leven van verveling, slecht was voor het hart. Daar moest je lang voor leren om zo iets te durven bepalen.

In het donker tuurde ik landinwaarts. Er waren hier geen huizen meer. Maar sterren maken veel goed. Bij het licht van die sterren kon ik de postmeester duidelijk zien. De twee glazen haalde hij na een paar maal misgetast te hebben uit zijn broekzakken. Juist. Hij plaatste elk glas stevig met de voet in de kleine kuil. Op een rijtje: de postmeester, zijn glas, mijn glas. Hij wachtte.

De andere kant uitlopen, de zee in, waar nu een schip had moeten zijn, daarin had ik toch geen zin. Ik liep naar hem toe.

Omdat ik me erop voorbereidde dat hij zeggen zou dat het een warme avond was, keek ik wel op toen hij – ik was nog niet eens op het strand – riep: 'Ja, dat verhaal, mijn levensgeschiedenis, daar was ik net aan begonnen. U kon het niet helemaal volgen natuurlijk, door de drukte en het lawaai daarbinnen. Ik vertel het ook bijna niemand. U wel. U bent een goede vriendin van madame Despard. Dat is een bijzondere vrouw.'

Ik knikte, tam opeens. Zijn levensgeschiedenis, wat kon het zijn. 'Het leek me exclusief,' zei ik. True confessions, dacht ik.

Alle levensgeschiedenissen zijn exclusief, klets maar raak. Deze avond gaat voorbij. Madame Despard gaat niet teleurgesteld naar bed. Wel alleen. Maar haar feest zal in alle opzichten zijn geslaagd. Ik heb de pest aan de postmeester, dat wel.

Naast de glazen gingen we op het zand zitten. Morserig schonk hij ze boordevol alsof er in die fles geen cognac was maar limonade. De glazen hielden het. Ze stonden stevig in hun kuil geplant. We gingen voorover liggen op het zand en begonnen te drinken. Ik richtte af en toe mijn hoofd op, keek naar de zee, de paarsblauwe lucht, de sterren en zag lachend hoe dat alles hoe langer hoe groter werd.

De postmeester dronk alsof hij na een tocht door de woestijn aan de bron lag waar hij op handen en voeten naar toe was gekropen. Zo krijgt hij dat cognacglas niet leeg, het is er niet op gemaakt. Gespannen zag ik zijn neus steeds dieper zakken tot de randen van het glas in de wangen kerfden. Verbaasd keek hij op.

Ik ging zitten, trok mijn glas uit het kuiltje: 'Op drie maal drie is zesenvijftig, zei de computor!' riep ik, trok zijn glas ook uit het zand en hield het hem voor.

Zwaar hijgend, terwijl het piepte en knarste in zijn borst, kwam hij uit de liggende houding omhoog, steeds kijkend naar het glas dat ik hem bemoedigend voorhield. Nou, drie jaar hoogstens, dacht ik. Maar wat weet ik van zijn lichaam?

Hij had nog naar me geluisterd ook: toen hij het glas van me aannam, hield hij het in de hoogte met de rechterhand, terwijl de linker zijn lichaam steunde, de palm van de hand in het zand. 'Op de computors!'

'Op madame Despard!' zei ik. Haar minnaar klauwt zich met zijn hand in de aarde. Hij klemt zich vast aan de grond. Hij graaft al een beetje maar hij hoeft zich niet druk te maken. Anderen zullen dat voor hem doen. Hoe zal zij zich dan voelen. Het leek me opeens mogelijk dat zij van deze man hield. Niet omdat hij nu toevallig de enige was hier. Ik dacht: hoe weet ik of ze ook niet van hem zou hebben gehouden als hij een van velen was geweest, als ze een keus had kunnen doen?

Deze avond is zo kwaad nog niet. Met al die drank in zijn maag, valt hij zo in slaap. Dan ga ik zwemmen. Zijn stem klonk vast en zeker toen hij begon: 'Mijn levensgeschiedenis! Kijk het zat zo –.' En ik hoorde hem. Of ik wilde of niet.

In schemerig morgenlicht, toen het zand al weer warmer begon te worden, werd ik wakker. Op het strand naast me sliep Dander. In zijn linkerhand klemde hij de nu lege cognacfles. Onze twee glazen en de zakdoek die hij had gebruikt om de kuiltjes te graven, lagen iets verderop. Alsof we ze weggesmeten hadden. Ik herinnerde het me niet meer.

Wel wist ik zijn levensgeschiedenis nog. Terwijl hij sliep, keek ik naar Dander. Hij snurkte. Stoffig en stoppelig lagen de wangen onder zakken die niet hoorden onder die ogen. Die daar nu nog niet hoefden te zijn.

Zacht liep ik een eind het strand langs. Hij moest maar uitslapen. Ik wilde niet horen dat het vandaag een ongebruikelijk warme dag zou worden. Al was het de waarheid.

Helemaal uitgeslapen, zou hij misschien iets anders zeggen. Zou hij iets anders zeggen na die nacht?

Mijn kleren trok ik snel uit, groef een ondiepe, langwerpige kuil, legde er mijn jurk in die ik glad streek en bedekte met een stevige laag vochtig zand. Zo goed als een strijkijzer.

Het water was koel, het zoutgehalte ervan vrij hoog. Ik kon zwemmen en ik kon makkelijk op mijn rug drijven, kijken naar de opkomende zon, denken over deze nacht. Zijn levensgeschiedenis. Niet zo'n bijzondere maar de zijne, het verhaal van Danders leven.

Geen schip te zien natuurlijk. Wilde ik nog weg van Dander? Ik merkte dat ik niet langer de pest aan hem had. Ik mocht Dander graag al lag hij meters verderop te snurken, al was hij niet om aan te zien met z'n opengezakte mond, de wijde neusgaten waardoor snurkgeluiden werden uitgestoten. Dan die fles nog, als een houvast voor het leven in z'n hand. Goed, ik was op hem gesteld. Toch dook ik naar de bodem om hem even niet te hoeven zien. Hij bleef op mijn netvlies. Het strand was stil maar zijn doodgewoon levensverhaaltje, even gewoon als het mijne, suisde in mijn oren. Alles hoorde ik hem nog eens vertellen: zijn jongensjaren in Parijs – de school, een andere school, ouders, familieleden, vrienden, een meisje –. Ja, dat meisje, een jong knap kind. Zeventien toen ze verliefd werden. Onder dat besmeurde overhemd van hem droeg hij haar foto: een meisje van 17, stralend, een meisje van een jaar of 21, datzelfde kind. Het meisje van 23, 25, 26. Ik had om zijn aansteker gevraagd en het portretje in mijn handen genomen. Bij het licht van die aansteker had ik het meisje, de vrouw van het portret, zien opgroeien, veranderen. Knap was ze nog altijd maar op die laatste foto zat de verbijstering van het ouder worden al weggekropen in de trekken van haar jong gezicht. 'Mijn verloofde,' had Dander trots gezegd. Door cognac moedig genoeg om trots te zijn. Was het wel zijn verloofde, was zij nog altijd zijn verloofde? Dronken was hij toen hij me de foto liet zien. Toch niet te dronken om het verhaal samenhangend te kunnen vertellen. Hun armoe. De slechte vooruitzichten voor hem daar in Frankrijk. Zijn opleiding was niet veel waard. De woningnood in Parijs – het gesappel met haar ouders die voor het knappe gezicht van hun dochter een betere man dachten te kunnen kopen. En zij? Gewoon, ze hield van hem. Waarom? Hij vroeg het zich niet af. Wie vraagt zich zo iets af, geen mens. Zeggen dat je het je afvraagt is er af en toe wel bij. Zij was natuurlijk de mooiste, liefste, onbaatzuchtigste, intelligentste, de meest waardevolle vrouw op de wereld. Ik twijfelde er niet aan. Voor Dander was ze dat. Hij had haar weinig te bieden. Dat herhaalde hij. Die zin kwam vaak terug. Was het zijn verklaring? Hij wilde de wereld aan haar voeten leggen, aan haar kleine blanke voeten, die hij uitvoerig beschreef.

Drijvend op zee, vlak bij de haven waar ik zo graag vandaan

had gewild, stak ik mijn eigen voeten boven water. Gebruinde voeten. Moest iemand er een wereld tegenaan gooien? Ik zou die wereld een schop geven. Dat meisje moest het gevoeld hebben als ik. Welke vrouw wil die wereld aan haar voeten die haar altijd door de mannen wordt aangeboden of toebedacht. Kletskoek. Ze wil de man. Uit. Ze wil Dander gewoon naast zich. Misschien is het niet gewoon? Was er veel verschil tussen haar en mij. Nauwelijks, leek me. In de nacht had hij me bijna alles verteld maar niet of hij haar een keus had gelaten.

Die baan van hem, hier, had een prachtkans geleken. Tien jaar zat hij er al en schreef haar brieven die ze tien jaar lang regelmatig – dat ook nog – beantwoordde. Tristan en Isolde. Piramus en Thisbe. Tristesse et Improbabilité.

Als postmeester had hij niet veel te doen. Tijd genoeg om erbij te verdienen. En zie nu eens: een huis voor zich zelf – een terras met uitzicht op zee. De tuin was met zorg aangelegd, alles degelijk uitgedacht, beschreven, daarna pas beplant.

Alle bloemen in kleuren waar zij, daarginds in Frankrijk, van hield. Dan de inrichting! Nou ja, schepen kwamen er niet vaak. Maar áls ze kwamen. Het was een vrijhaven hier. Zijn huis stond vol bizarre snuisterijen, lag vol kostbare tapijten voor een prik gekocht van een matroos. Bijouterieën, houtsnijwerk, kunstvoorwerpen uit alle delen van de wereld. Soms moest hij wel een jaar wachten op zijn bestelling maar wat er dan kwam, dat was het wachten waard. Zijn huis, de waarde ervan, was bekend op het hele zuidelijk halfrond. Zeelui pikten maskers, schilderijen of een totempaal voor zijn tuin voor hem mee. Iedereen wist dat Dander een goede prijs betaalde. Voor de inrichting van het huis dat de hele wereld moest worden om aan haar voeten te kunnen leggen. Een huis? Een villa bezat hij, de postmeester. Net had hij nieuwe zaden besteld voor zijn tuin die nu al een koel paradijs was met hoog geboomte, hibiscusstruiken, vlammende canna's.

Steeds mooier, steeds beter werd dat huis, voortdurend groter zijn bezit. Een vijver had hij ook laten graven, een cementen bak die door werkloze inwoners met zoet water was gevuld, geregeld werd schoongehouden, van de nodige waterplanten voorzien. Felgekleurde tropische vissen zwommen in het altijd heldere water tussen brokken rood, paars en groen koraal. Bij de rand van die bak een groep palmen, daaronder een stoel voor haar, daarginds in Parijs, zodat ze op haar gemak de vissen zou kunnen bekijken, een loom tijdverdrijf geschikt voor iemand die het aan niets mocht ontbreken. 'Stel het je voor,' zei Dander vol vuur. 'Of beter, kom kijken, morgen. Het lijkt een natuurlijke vijver, die cementen bak. De rand is begroeid met planten, de bloemen hangen soms tot in het water.'

Dan de kamers! De ontvangzaal, waar zij gastvrouw zou zijn. Hun slaapkamer met een antiek hemelbed uit Europa en een leeuwehuid op de vloer. Was die combinatie uniek of niet? Maar niets was te goed, te duur, te veel voor háár. Logeerkamers waren er ook en elke kamer had zo'n Amerikaans bad. Maanden had het hem gekost vóór hij dat bad voor elkaar kreeg, precies zoals zij het zou willen hebben, precies zoals hij het had gezien op een plaat in een tijdschrift.

Het huis, die tuin, het leek maar nooit klaar te komen. Altijd kwam er weer een nieuw idee bij hem op waarover hij dan enthousiast schreef naar Parijs.

Wat ze had geantwoord?

Dat ze wilde komen, meehelpen het huis inrichten, dat ze alles met eigen ogen wilde bekijken, dat foto's niet voldoende waren, dat, nou ja, dat de jaren voorbij gingen.

Goed, goed, zei Dander, die nacht op het strand de cognac van madame Despard drinkend, natuurlijk gingen er wat jaren overheen voor alles tip top was, voordat er niets meer ontbrak, ieder onderdeel in orde, klaar om haar te ontvangen. Maar een mens moest nu eenmaal geduld hebben, wachten moest je, dat was het leven voornamelijk: wachten, geduld oefenen.

'En tijdens dat wachten was er een madame Despard.'

'Ja –, dat met madame Despard...'

'Een bewonderenswaardige vrouw.'

'Een ongebruikelijk bijzondere vrouw. Nog altijd begrijp ik niet dat zíj míj –'

'Terwijl dat huis toch werd gebouwd, die tuin aangelegd.'

'Die tuin en dat huis waarmee ze me hielp. Ze heeft smaak. Overlopend van ideeën was ze, jaar in, jaar uit. Die stoffen uit India bij voorbeeld, net de goede stoffen voor mijn verloofde –'.

'Ze wist er dus van?'

'Van mijn verloofde in Frankrijk? Mais oui! Hier wist iedereen alles over iedereen. En dan: voor een vrouw als madame Despard verberg je zelfs geen futiliteit.'

'Een futiliteit als de blanke voet van een jong meisje in Frankrijk bij voorbeeld. Hoe oud is die nu?'

'Zevenentwintig, ik vergis me, negenentwintig.'

'Kreeg zij nou nooit genoeg van dat wachten?'

'Ja, ze kreeg er genoeg van. Jaren geleden al. Ze begon aan te dringen op haar overkomst. Maar wat wist ze van het leven hier?'

'Wat wist ze van madame Despard om maar wat te noemen –?'

'Wat weet ik zelf van madame Despard? Is er iemand die haar kan begrijpen?' Dronkemanstranen sprongen in zijn ogen.

'Je hebt gelijk. Niemand weet iets van madame Dander, trek het je niet aan, Despard. Het zou dom zijn te denken dat iemand haar kon begrijpen.'

'Zo is het, niemand kan mij begrijpen.'

'Trek je dat niet aan, Dander. We weten weinig van elkaar. En minder van onszelf. Hoe zou het anders kunnen: van binnen zit nu eenmaal meer dan van buiten en wat binnen is is binnen en wat buiten is buiten.'

'We weten niets.' Hij leek ontroostbaar. Met het hoofd op de knieën zat hij te huilen. Ik nam zolang de fles van hem over. Het was goede cognac.

'En we zullen nooit veel weten,' zei ik afleidend. ' "Ignoramus, ignorabimus" schreven mijn ouders op een stuk karton, toen ik nog op school zat. Ze deden er glas voor en lijstten het zelf in. Ze hingen het boven de tafel waaraan ik moest studeren. Ik keek altijd naar die woorden. Dan weer naar mijn boeken. Het maakte mijn dorst naar kennis niet groter. En ik had toch al niet veel dorst.'

Het glas smeet ik met een boog in zee.

'Kijk,' zei ik lachend, 'zelfs dat zal ik misschien nooit weten – is dat glas nu gebroken of niet. Doet er niet toe. Drinken uit de fles gaat beter. Maakt niets uit of je dingen weet of niet. Leven "en gros" moet je. A votre santé, Despard! Vergeet ook dit niet: waar je niet voldoende van weet, daarover kun je niet oordelen. Van een oordeel zijn we dus vrijgesteld. A votre –'.

'Mijn verloofde, van haar weet ik ook niets. Ze is een stuk papier in mijn hand. Ze is een zin in een brief.'

'Als de zin zin heeft heeft je verloofde ook zin,' stelde ik vast terwijl ik verder ging met de goede cognac van monsieur Dander. 'En hoe zit dat: blijft ze wachten? Blijft madame Despard, de prachtvrouw, helpen met het huis van je verloofde? O ja en met die tuin.'

Dander raakte in verwarring.

'Je moet dat zo zien: in Parijs hadden we van mijn salaris op z'n best, na jaren, een benauwd, gehorig appartementje kunnen huren. Zou zij de goede meubels hebben gekregen, het comfort dat haar toekomt? Dat zou toch niets geweest zijn voor háár!'

'Terwijl ze nu al die jaren heeft gewoond, ja, waar eigenlijk?'

Hij maakte een vaag gebaar, nam me de fles af en dronk lang, té lang, vond ik zodat ik mijn hand uitstrekte, ermee tegen de fles tikte en hem terugkreeg.

'Nu? Waar woonde ze, die tien, twaalf jaar?'

'Op de een of andere huurkamer. Ze schreef wel eens over de concierge, een kreng van een wijf.'

'Net goed voor haar blanke voet!'

Meneer Despard begon weer te grienen.

'Die verloofde van je, Dander, dat is een sul van een mens. Blijft me daar maar zitten bij een kreng van een concierge op een benauwde huurkamer. Overdag tikken op een muf kantoortje, denk ik en verder: leven op papier.'

'Ik wilde de hele wereld aan haar voeten leggen!' schreeuwde Dander. 'Dat wil ik nog.'

'Dat wil je! Wat je zegt! Wat je doet is: het lesje van de sterkere opdreunen. Ideeën napraten. In dit geval die van madame Despard.'

Hij zweeg.

'Dat doe ík ook,' fluisterde ik tegen de mond van de fles, 'lesjes opzeggen, ideeën nakauwen en niet weten of ik dit morgen nog zal weten.' Hardop zei ik: 'Brave postmeester, blijf niet zwijgen. Deze nacht is daar niet op gemaakt.'

Hij zweeg toch. Ingeslapen misschien? Ik schudde hem heen en weer tot hij me aankeek, ontzet, verbijsterd.

'Kom, kom!' zei ik. 'De hele wereld moest aan haar voeten. Daar is hard voor gewerkt. Maar wie weet wat voor de ander de hele wereld is? Misschien wel een benauwde huurkamer. Alleen zijn. En drie maal per week een tot niets verplichtende brief. De hele wereld aan je voeten krijgen, dat kan best vrijblijvend leven betekenen!'

Postmeester Dander barstte in lachen uit: 'Nietwaar? Nietwaar?' riep hij. 'Iedereen mag zelf kiezen.'

'De hele wereld aan je voeten krijgen, zomaar cadeau,' peinsde ik, wie weet is dat voor sommigen wel een gehorig appartementje met Dander in Parijs, Dander in je bed, Dander die je in zijn armen houdt, die geen brieven schrijft maar levend en grommend aan je kale tafel zit?'

'Hou op!'

'Jij hebt het dus ook wel eens gedacht. Of heeft zij zelf het maar ronduit geschreven?'

'Ze heeft het geschreven. Maar kent zij het leven hier?'

'Ken jij haar leven daar soms?'
'Zij kent mijn leven niet.'
'En madame Despard kent ze niet.'
'Nee, die kent ze niet.'
'Weet ze ervan bedoelde ik eigenlijk? Van je verhouding?'
'O ja. Ze stond erop meteen te komen. Dat wil zeggen na een jaar of drie, vier.'
'Toen schreef je het haar meteen, je moest wel.'
'Ik schreef haar dat ik al een paar jaar een verhouding had met een getrouwde vrouw.'
'En zij schreef dat ze het begreep. Alles vergeten en vergeven, seinde ze. 'Ik kom.'
Dander staarde me aan.
'Hoe weet je dat? Want dat seinde ze. Woordelijk.'
'Ons kent ons, vrouwen.'
'Maar ik wimpelde het af. Dat wil zeggen, madame Despard had ideeën.'
'Ideeën die jij uitvoerde, opschreef, beschreef, alles hing af van de sterkere. Zeg es, dat is de titel van een Nederlands boek van lang geleden: 'Een sterke vrouw, wie zal haar vinden.' Nou je hebt haar gevonden hoor. Of nee, madame Despard heeft jou gevonden. Je zou kunnen zeggen: ze heeft je uitgevonden.'
'Iemand van hier ging terug naar Frankrijk. Hij wist alles, hij zocht haar op, waarom? ik weet het niet. Ik zal het nooit weten. Hij was geen vriend, geen vijand, geen zakenrelatie. Zomaar iemand van hier.'
'En hier is iedereen op de hoogte van iedereen. Dus toen wist zij dat ze ertussen genomen was.'
'Niet door mij.'
'Nee, door madame Despard, jij hebt het niet gewild, niet geweten, je voerde alleen je orders uit. Vrijgesproken, Dander.'
'Wat zeg je nou?'
'Ik zeg dat ik, Levka, jou, Dander, vrijspreek van alle napraterij, van elke nadoenerij. Ik zeg dat we op moeten

houden na te praten, na te doen. Dat we moeten nadenken.'

De fles ging van hand tot hand maar ik kon niet dronken genoeg worden. De nacht moest om, op de een of andere manier, moesten er een paar uur van deze nacht op schappelijke manier omgebracht worden, gekeeld.

'Verder!'

'Ze schreef geen brieven meer, ze seinde me niet.'

Ik verslikte me in de cognac. 'Wát zeg je!'

'Die man van hier stuurde me kort geleden een telegram. Er stond in dat ze onmiddellijk was vertrokken. Hierheen. Ze zit al op de boot.'

'Op een boot die vertrok vanuit Marseille.'

Dander knikte.

'En madame Despard – ?'

'Ze weet het niet,' fluisterde hij.

Ik gaf hem de fles. Hij dronk, zuigend als een kind.

'Zo gaat dat,' zei ik, die madame Dander denkt nu dus dat ze nog jaren voor de boeg heeft. Eén ding heeft ze nooit overwogen: er kan een sterkere zijn maar ook een sterkste.'

'Vervelend hoor, die diepzinnigheden van je! We zitten toch gewoon wat gezellig te drinken en ik vertel je mijn verhaal.'

'Het echte?'

Aan zijn verwrongen gezicht zag ik dat het vrijwel het echte was.

Hij haalde haar laatste foto te voorschijn, die waarop ze 28 was.

Madame Despard is waarschijnlijk 38, zei ik onhoorbaar, en 28 in Parijs, hard werkend, vol hoop, dat is jong. Maar 38 in de tropen met drank, verveling, dat is al aardig oud.

Dander tikte tegen de foto, hij glimlachte opeens vol tederheid tegen dat 'alleen maar papier.'

'Zij weet meer van me dan iemand anders. Als je elkaar tien jaar lang drie maal per week brieven schrijft, dan ga je elkaars gedachten zo'n beetje kennen.'

'Beter dan tien jaar lang elke avond bridgen en drinken en soms een uur in bed.'

Hij negeerde mijn smalende 'uur'. Of merkte het niet op.

'Ze zit op de boot. Ze houdt van me.'

'En madame Despard is alleen een bewonderenswaardige vrouw?'

'Ja, zo iemand kun je toch niet botweg vertellen –'

'Dat er binnenkort een blanke voet op het strand voor je huis zal staan. Voor háár huis. Jullie zijn immers buren? Ik neem aan dat je haar trouwt?'

'Wat denk je! Zo'n jong kind! Ze is teer als – als –'

'Als teer. Of anders als een lentebloesem als het lyrisch moet.'

'Ze komt pas kijken, dat bedoelde ik.'

'Goed dan, je trouwt met haar. Ze neemt bezit van je huis, je tuin, van jou. Ze neemt bezit van de ideeën van madame Despard! Wat een grap!'

'Dat kan toch niet, zie je niet dat dat niet kan!' De ontzetting greep hem weer bij de keel.

'Ik zie alleen dat het gebeurt. Over een week, een paar dagen gebeurt het. Wat doe je voor madame Desdan? Zeg het haar gewoon. In ieder geval beter dan haar met de blanke voet op het dak te vallen, haar die blanke voet op het hart te zetten. Iedereen merkt hier alles van iedereen. Geef haar de kans zich voor het oog van dat gezelschapje hier, van jou terug te trekken. Ze heeft ideeën. Ze zal een middel weten te vinden jou in publiek de bons te geven. Een overtuigende bons. Niemand weet hier iets af van de komst van je verloofde?'

'Niemand.'

'Dat kan die verloofde het vliegtuig hebben genomen nadat madame Despard je de bons heeft gegeven.'

'In het publiek de bons krijgen, daar voel ik niet voor. Ze kan een furie zijn als ze woedend is.'

'Woedend van onmacht, ja, dat maakt je tot een furie, tot een hyena. Tien jaar lang is zij je minnares geweest. Je was hier kapot gegaan zonder haar. Geef nu op jouw beurt Dander een kans, Despard!'

'Je hebt er niets van begrepen!' schreeuwde Dander, zwaaiend met de fles.

'Zoals gewoonlijk.'

'Ik kan haar niet missen, mijn verloofde, madame Despard, kan ik niet missen. Mijn minnares die op de boot is, onderweg, naar mij toe, die kan ik toch ook niet missen. Geef me een oplossing!'

'Die is er niet. Nergens voor. Niet voor de belangrijke dingen. Je leeft maar verder en dan zie je wel wat ervan komt. Iemand zal verliezen. Iemand zal winnen. Natuurlijk, het is ook mogelijk dat jullie alle drie verliezen. Dat jullie alle drie winnen. Wie kan het weten. Misschien jullie zelf niet eens. Als jullie dood gaan, wat vroeg of iets later, zullen jullie het dan weten? Met het soort weten dat zekerheid is? Nee. Want zekerheid bestaat niet. Een woord is het, meer niet. Iets dat voortkomt uit onze verbeelding. Uit onze angst, dat kan ook.'

Dander liet zich op zijn rug in het zand vallen. De fles was uit zijn hand gegleden, hij deed zijn ogen dicht, voor álles deed hij zijn ogen dicht, hij sliep, begon al te snurken.

Ik zwom in het inktzwarte water. Daarna kleedde ik me weer aan en ging dicht naast Dander liggen. Postmeester Dander.

'Maar als we doodgaan, Dander,' fluisterde ik tegen zijn dovemansoor, 'en we weten nog steeds niet wie verloren heeft: jij, madame Despard, de blanke voet of ik, dan geeft dat geen zier. Ieder zal een mening denken te hebben over onze nederlaag of onze overwinning. Maar wij weten dat wij, zij en niemand van die er het dichtst bij waren, het weten. Na nog wat onbelangrijke jaren zullen we allemaal eenzelfde soort afgekloven beenderen zijn. Of as. Het leven is onnavolgbaar goed georganiseerd.'

Slaap veegde met één streep mijn gedachten uit. Deze morgen, drijvend op het water, wist ik het gesprek nog haast woordelijk. Gesprek? Ons pratend tijdverdrijf. Ik kon het me herinneren.

Met een paar slagen was ik bij het strand, groef mijn gladgestreken jurk uit, kleedde me neuriënd aan. Met de kam uit mijn handtas streek ik mijn natte haar naar achter.

Vlak naast de postmeester, die nog steeds sliep, groef ik een flinke smalle kuil in de grond. Er zat nog cognac in de fles en de hals stak duidelijk uit de opening van de kuil vlak bij zijn rechterhand.

Hij mocht het eens nodig hebben met de verloofde vóór zich en madame Despard áchter zich. Niet dat het goed was voor zijn hart, dat kon je wel zien. Maar het was beter voor z'n hart dan de zee waarin hij misschien het schip waarop zij naar hem toe kwamen varen, tegemoet zou willen zwemmen.

Hij zou het wel redden. Zij zou het wel redden. Ook madame Despard, of hij het haar nu ging vertellen of niet, ze zou het redden, ik zou het redden, Dander zou het redden. En mét ons, die hele dolle boel waarin we leefden, ons wereldje.

In het hotel zat Dander aan het ontbijt op de bovengalerij. Een gele bloes droeg ze, een zwarte rok met gele plekken.

Mijn ontbijt had ik beneden al besteld, het werd me boven gebracht. Ik ging naast haar zitten.

'Feest?' vroeg ik. Ik wees op de bloes, de rok. Ze zag er goed uit. Ze zal het wel redden, dacht ik.

'We aten zwijgend, glimlachten soms tegen elkaar.

'Dander, ik vlieg over een paar uur naar de hoofdstad. Vandaar neem ik het vliegtuig naar die noordelijke havenplaats.'

'Daar neem je een boot,' Dander lachte en knikte.

'Je zult het wel redden,' zei ze nog.

'Ik zal het wel redden,' zei ik hardop tegen mezelf.

Er was niemand in de buurt om die woorden tegen uit te spreken. Chiaro lag ver uit het gezicht. De lichten van de vuurtoren van Punta Madre waren gedoofd. Het was een mistige morgen.

In schemerlicht boog de hoger gelegen zwarte rotspiek zich nog steeds over mijn schuilplaats halverwege de berghelling, heen. Er was geen heksensabbat gehouden, die nacht op de kale berg. Of toch?

Huid van voorhoofd en wangen waren nat van zweet.

Die hele nacht had ik met opgetrokken knieën op de met bladeren bedekte steen bij het laaggehouden vuur gezeten. De voorraad takken was voldoende geweest.

Om het half uur had ik diepe kniebuigingen gemaakt. In mijn eentje had ik op de top van het fort woeste dansen uitgevoerd om mijn spieren niet stijf te laten worden.

Of was er een andere reden?

Die nacht had ik een heel leven geleid. Een herhaling was het geweest van mijn leven – tot nu toe – met Dander.

Dit uur was kouder dan de nachtelijke uren. Als mijn voorhoofd bezweet was, dan had op het een of andere ogenblik in die nacht, bij de een of andere gedachte, de angst – voor wie, voor wat? – me te pakken gekregen. Angst perst alle sappen uit je lichaam. Bloed, zweet, tranen. Ik had dat meer beleefd, bij anderen, bij me zelf. 'Je redt het wel,' zei ik nog eens.

Mijn gedachten van die nacht probeerde ik me te herinneren maar al had ik niet geslapen, ze schoten weg zoals je dat kan gebeuren bij het wakker worden. Er was iets om bang voor te zijn, iets om blij mee te wezen. Het ochtendlicht stopt elke dag opnieuw die vage gevoelens onder de grond.

'Je redt het wel.' Wie had dat tegen me gezegd? Ik zelf? De ander? Deed er niet meer toe, besloot ik. Nu zei ik het in ieder geval zelf.

Langs de door dauw glad geworden berghelling waar ik zelfs het spoor dat ik de vorige dag moest hebben gemaakt, niet kon onderscheiden, begon ik, met aandacht zoekend naar de beste plaatsen om mijn voet neer te zetten, af te dalen naar zee.

Punta Madre lag achter een landtong maar ik kende de richting. Mijn hele leven had ik de richting gekend. Ik had er alleen niet op gelet. Nu wel. Waarom dan nu wel?

Omdat ik Dander eens zou laten zien dat ik, Levka, heel goed me zelf kon redden? Dat ik niet gillend van angst, daadloos, aan de voet van de rots was blijven staan, terwijl het water steeg? Ik was er dus best toe in staat: tot het achteloos zien wegvaren van Dander, die geen poging had gedaan mij uit een benarde positie te halen. En die daarmee of hij het wist of niet, had toegegeven, dat ik zo iets zelf wel kon. Dander was mijn vriend, mijn vriendin, een mens die in mij geloofde zoals in zich zelf.

Die loodrechte rotswand opgeklommen, memoreerde ik, daarna door de struiken gedrongen. Het fort gevonden in het donker, de kale zwarte piek getrotseerd. Niet stomweg in de val binnenin het fort gelopen. Me zelf beschermd tegen kou, me verdedigd door een vuur te maken tegen wilde honden. Of wolven die in deze tijd van het jaar van de hoogste bergtoppen langs de zuidhelling omlaag komen. Mijn lichaam op peil gehouden door in beweging te blijven, zodat geen stijve spieren me nu belemmeren bij de afdaling.

Ook dit: me zelf vermaakt door te denken, zodat de nacht is omgevlogen. 'Haar was één nacht als duizend jaar en duizend jaren waren als één nacht.' Citaten bestonden om verminkt te worden.

Na een paar uur dringen door struiken die me een weg die er niet was, versperde, kwam ik bij die valkuil.

Nog net ontweek ik hem. Onzichtbaar opgesteld voor een wilde hond, goed genoeg aangelegd voor een wolf. Niet goed genoeg voor Levka. Aan weerszijden van de met dunne takken en losse bladeren bedekte valkuil, was niet te doordringen struikgewas. Ik nam een aanloop en sprong over de kuil heen.

Opeens was daar die hellende tuin, door de takken heen geglinster van water, dichtbij. In het nog door ochtendnevel getemperde licht stond een man z'n kippen te voeren.

Wat een climax!

Ik sloeg dubbel van de lach. Hij draaide zich verschrikt in mijn richting, liet het bakje met zaad uit z'n handen vallen en rende naar het huis.

De deur vloog met een slag dicht, een grendel knarste.

'Aspetto!' riep ik maar ik was terug bij de beschaving en zou me aan de regels moeten houden voordat ik erin werd toegelaten.

Bij de rand van de valkuil ging ik zitten, haalde de spiegel uit mijn schoudertas.

Het was in een ogenblik gebeurd: een zakdoek maakte ik nat aan de bladeren. Ik wreef er mijn gezicht, armen en benen mee schoon.

De modder wreef ik van mijn schoenen. Ik poetste die schoenen met een droge zakdoek. Mijn haar kamde ik, mijn lippenstift gebruikte ik, kleren streek ik zo goed mogelijk glad. De schoudertas hing ik voor de scheur in de zijkant van mijn rok. Levka, zo goed als nieuw. Nu op mijn gemak naar dat huis. Niet lachen. Nooit lachen om wat anderen niet begrijpen. Het gezicht welwillend zonder uitdrukking, mondhoeken iets omhoog. Zo moest dat.

Zo moest dat anders gooiden ze de deur voor je neus dicht, lieten je in de kou staan, je zou niets te eten, niet te drinken krijgen. De mens schept zich de mens naar zijn evenbeeld. Wees dat evenbeeld, Levka, voor ieder een ander evenbeeld. Dan word je nooit verbannen, dan stoten ze je niet uit.

Ook dat kan ik. Wel wil ik vaak alleen zijn, op een kamer of tussen mensen die me niet kennen, reizend door een woestijn, zwemmend in zee. Of op een blad papier waarop ik een tekening maak van me zelf zoals ik ben, vuil, bemodderd, verward door de krachttoer die ik net heb verricht. Ik signeer niet als evenbeeld, ik signeer als de vrouw die ik ben. Levka.

Niet te hard, niet te zacht, klopte ik op die deur. Maar die bleef dicht. 'Klopt en u zal worden open gedaan,' dat klopt vaak niet. Verderop in het huis verscheen een gezicht voor een minuscuul raam. De randen van het raampje omlijstten het gezicht als een schilderij. Het was duidelijk het raampje van de W.C. Vrij hoog aangebracht in de muur. Die man stond dus op de pot om naar me te kunnen kijken. Maar niet lachen!

'Verdwaald geraakt!' riep ik tegen het schilderij.

'Op die berg daar!' Ik wees.

'Een hele nacht in de kou!'

Je moest het eenvoudig houden. Dat gaf de beste resultaten.

Het gezicht bleef keurend naar me kijken.

Een spoor achterdocht lag nog op de loer om de mondhoeken, daar gebracht door mijn lachen na die sprong over de kuil.

Ik rechtte mijn rug nog meer, liet de ring aan mijn hand terloops schitteren in het eerste straaltje zon. Ik keek op mijn gouden polshorloge, hield ook dat in de zon, het kwam toevallig zo uit.

'Heeft u iets voor me te eten?'

Het gezicht bleef zonder uitdrukking, de mond gesloten.

De schoongeveegde schoudertas knipte ik open, ik haalde er mijn portemonnaie uit.

'Kan ik hier bij u misschien iets eten?'

Het gezicht ontspande zich, verdween na een knik. Zou hij intussen nog geplast hebben, dacht ik zorgelijk. Efficiënt moet een mens blijven als hij mee wil doen aan het dagelijks bestaan.

Maar nee, hij was te gauw bij dat raampje geweest, hij verscheen nu te snel in de deuropening. Nu ja, ik sprak hem vrij. Hij was er niet opgekomen door de schrik waarschijnlijk.

Achter de deur hoorde ik een zwaar meubelstuk verschuiven, de grendel schoof knarsend opzij en jawel, hij deed open. Ten slotte was hij een stevig gebouwde, grote man. Ik was een wat tengere, schoongewreven vrouw. Hij nodigde me met een stralende lach, een hoffelijk gebaar binnen.

'Een hele nacht op die berg!'

'Ja, ik ben niet bekend in de streek. Het was dom van me.'

Nu weer op kousevoeten door het leven sluipen om de ander niet te verschrikken, geen gelach zonder verklaring, geen traan zonder een officieel erkende reden.

Wilde ik gaan zitten? Prego! En zijn excuses dat het huishouden nog niet op gang was, zijn vrouw lag nog in bed. Het was zo, ik hoorde een stem in de kamer ernaast. Geruststellend baste hij terug.

'Tja –' zei hij toen tegen mij. 'Je verwacht in de vroege ochtend geen vrouw uit je valkuil te zien komen.'

'En haar te horen lachen.' Mijn gezicht bleef beleefd onbewogen, mondhoeken iets omhoog. Alles in orde.

Als ik gehuild had als een wolf, was hij niet zó geschrokken, dat stond wel vast.

'Vergeeft u mij mijn onnadenkendheid,' voegde ik eraan toe.

Even later deed hij het hele verhaal voor mij terwijl ik nog warme broodjes at en koffie met cognac te drinken kreeg.

'U had dood kunnen zijn,' stelde de man opgewekt vast. 'Als u nu eens een enkel had gebroken. Daarboven tussen de struiken was gevallen, wie zou u ooit hebben gevonden? Er komt geen mens, daarginds bij die piek. Een onheilsplek, vraag het iedereen in Punta Madre. Wie zou u hebben gevonden, vraag ik u!'

'Een wilde hond? Een wolf misschien?'

'Daar heeft u niet aan gedacht, he, vannacht, gisteravond toen het donker werd! U dacht er niet aan dat een wild dier u zou kunnen vinden!'

'Dat is zo. Ik dacht dat een mens mij zou vinden.'

'Heeft niemand u gisteravond gezien? Heeft u niet geroepen, gewenkt? Er waren toch boten op zee? Was er niemand die u zag?'

'Jawel. Er was iemand. Iemand die me zag, iets tegen me riep, zwaaide en wegvoer met zijn zeilboot in de richting van Punta Madre.'

'Geen inwoner van Punta Madre kan dat zijn geweest. Die zou erover hebben gepraat, de carabinieri zouden zijn gewaarschuwd. Ik zou het hebben gehoord. Iemand uit Pardone misschien. Die mensen daar –'

Sussend zei ik: 'Het kan iemand zijn geweest die dacht dat ik me zelf wel kon redden.'

'Maar het risico, vergeet dat niet, geen hulp brengen aan een weerloze vrouw, zo is ons volk niet.'

'Het is een hoffelijk volk,' gaf ik toe. 'Misschien was ik vlak bij Chiaro. Op die afstand kon iemand makkelijk denken dat ik iemand was die deze streek goed kende. En dat er wel een roeiboot gemeerd zou liggen, vlak bij de plaats aan zee waar ik toen stond.'

Hij knikte gerustgesteld. Het had een redelijke verklaring geleken. Nu kon ik het dus vragen.

'Zie ik het goed? Ligt er een zeilboot daarginds aan de steiger?' Ik wees naar de nu zonnige golf die ik door het openstaande raam heen, goed kon bekijken.

'Si! Een buitenissige zeilboot van de een of andere vreemdeling die hier gisteravond laat is aangekomen.'

'Gisteravond lááát?'

Daar moest over gedacht worden, daarvoor moest een verklaring zijn maar het hoefde niet nu.

'Een vreemd geklede man zat aan het stuur. Ik hoorde het van een late visser. Hij heeft in de osteria zijn maaltijd gehad, gepraat met de mensen daar en er geslapen. Die vreemdeling heeft u in ieder geval niet gezien.'

Dander had mij niet gezien.

'De osteria is geen hotel. Een hotel hebben we hier niet. Maar ze hebben daar plaats voor hem gemaakt. Hij was er tevreden mee.'

'Het was er lekker warm.'

'Vanzelf. De bedden zijn er best. Die mensen van de osteria verdienen goed geld. Er komen vreemdelingen eten, die in Punta Madre de boot willen nemen naar Chiaro!'

'Die ander dronk er bovendien verwarmende wijn of cognac.

'Wie zal het zeggen.'

'Zo is het. Wie zal het zeggen.'

Het ontbijt was op. De ochtendboot naar Chiaro zou ik nog kunnen halen.

'Dank u voor de gastvrijheid,' (betaald met beheersing, valse woorden en geld.)

'Geen dank! Het was een genoegen.' (om het rond te kunnen vertellen, dat verhaal.)

'Tot ziens!' Goed dan, al zou ik hem waarschijnlijk nooit meer zien.

'Tot ziens!' Een glimlach cadeau bij mijn centen.

Hij liep met mij de trappen af naar de aanlegsteiger. Hij bracht me naar de boot die naar Chiaro ging.

'Vriendelijk van u.'

Iedereen zou nu weten dat het verhaal niet was verzonnen, dat hij me had gevoederd, gedrenkt, wie weet gered. Niet dat hij een leugenaar was. Ik sprak hem bij voorbaat vrij van elke mogelijke leugen. Het is maar dat je fantasie zo vaak met je op de loop gaat. En dan: 'Si non è vero, dan is het goed bedacht. Als het de ander maar even vermaakt. Wat hij doet aan de ander doet hij aan zijn evenbeeld, doet hij zich zelf, mij.

Vlak naast de Chiaroboot lag het zeilschip van Dander.

Uitgerust, sportief gekleed in zeilbroek en trui, stond ze het schip op te tuigen.

Ze glimlachte tegen me. Vol verstandhouding. Zo glimlachte ik ook tegen haar. Het was goed Dander weer te zien, te spreken.

'Je kunt met me meevaren. Hij wees in noordelijke richting. Ik ga naar Pardone.'

'Dank je. Ik had het graag gedaan als ik geen ander plan had gehad. Ik ga naar Chiaro, iets zuidelijker.'

Met één sprong was ik aan boord van de volgeladen boot die een laatste fluittoon liet horen.

'Je wilt niet met mij mee?'
'Een andere keer. Vandaag gaan we toevallig elk in een andere, in een eigen richting.'
'Jij redt je wel,' zei Dander –. Hij hees de zeilen. Hij floot.
'Ik red me wel, ja.'
De Chiaroboot draaide van de aanlegsteiger af. De afstand tussen haar op het zeilschip en mij in de motorboot, werd snel groter.
'We zien elkaar weer!' riep Dander.
Ik zwaaide naar hem.
'We zien elkaar altijd weer!' riep ik terug. Er stond wat wind. Die waaide de woorden weg, zodat zij ze niet meer kon horen. Het deed er niet toe. Tot mijn dood zou ik overal, altijd, Dander ontmoeten.
De gehate, de geliefde, de vijandin, mijn vriend. Daar zou ik mee leven. Met Dander.

Amsterdam – Rooiedwars, 1964 / 1965

Nawoord

Code voor Dander verscheen in 1965. Aya Zikken (geb.1919) had toen al acht titels op haar naam staan, waaronder het debuut *Het godsgeschenk onbegrepen* (1953) en de Indische roman *De atlasvlinder* (1958) die in 1961 met de Boekenmarktprijs bekroond werd.

Ik las *Code voor Dander* tien jaar geleden voor het eerst, gefascineerd door de schijnbare toegankelijkheid van de roman. Er was iets met het boek waar ik de vinger maar niet op kon leggen. In de eerste plaats had dat te maken met de vraag wie Dander is en om welke code het gaat. In de tweede plaats werd mijn feministische verbeelding geprikkeld door twee aspecten die in de tekst als niet meer dan details gepresenteerd worden: Danders beweegredenen om van geslacht te veranderen -- haar 'gender crossing'-- en het verband tussen sekse en persoonlijkheid dat in Levka's vooruitwijzing omtrent het verloop van de geschiedenis besloten ligt: *onvoorstelbaar heeft je lichaam zich gedragen, Dander. En met je lichaam je persoonlijkheid, je gedachtengang, je reacties.* (p.23-24) In samenhang met de periode waarin Zikken deze roman schreef, vermoedde ik een verband tussen die details en de code, zonder dat te kunnen bewijzen.

In de contemporaine kritieken werd Dander opgevat als een symboolfiguur, als 'personificatie van een abstractie, van de "ander" in het algemeen'(J.H.W. Veenstra, *Vrij Nederland* 22-1-1966). De sleutel tot het ontcijferen van de code werd gevonden in Danders hij/zij-verschijning die de problematiek van de roman symboliseert: de ongrijpbaarheid en onkenbaarheid van 'de ander'.

Inderdaad levert de roman genoeg aanknopingspunten om Dander als een symboolfiguur te zien. Allereerst is er de titel waarin zowel het woord 'code' als de merkwaardige naam 'Dander' opvallen. Daarnaast wordt het woord 'code' herhaald in het aan Dander gerichte voorwoord waarin de lezer/es -- overigens juist door buitensluiting -- tot ontcijfering aangemoedigd wordt: *Het gebruik van de simpele code is bedoeld om toeschouwers die jou noch mij liggen op een afstand te houden.* (p.5) Binnen dit kader krijgt Danders wisselende verschijning als man en vrouw een symbolische betekenis, zeker wanneer daar de wonderlijke passage aan het eind van de roman bij betrokken wordt, waarin de basiselementen van de ontmoeting met Dander worden herhaald in de ontmoeting met een postmeester die eveneens de naam Dander draagt: het tonen van een foto van een jonge vrouw in dezelfde Afrikaanse kustplaats, wachtend op de volgende boot, de verveling verdrijvend met whisky en geforceerde gesprekken.

Toch wordt met deze aannemelijke interpretatie geen recht gedaan aan de complexiteit van de roman. Hij is niet 'sluitend', voor zover een interpretatie ooit sluitend kan zijn. De symbolische lezing bevalt mij niet omdat de roman te nadrukkelijk realistisch van opzet is. Dat vormde destijds overigens ook een probleem voor de critici. Margaretha Ferguson wees op de lezersverwarring die ontstaat door het plaatsen van een symboolfiguur in een realistische setting: 'Een dergelijke figuur, die eigenlijk een samenvatting is van al het menselijke is niet normaal bestaanbaar. In het verhaal tekent Aya Zikken Dander toch steeds opnieuw als een vleselijke aanwezigheid, waarin de lezer telkens begint te geloven om dan te moeten ervaren dat hij/zij symbolisch is bedoeld.' (*N.R.C.* 20-11-1965). Het uiteenvallen van de roman in twee 'concepties' -- een 'psychologisch-realistische' en een 'universeel-symbolische' -- beschouwde zij als een technisch falen van Zikken, evenals Veenstra en Anke van Kamp (*Parool* 16-4-1966). Hoewel ook ik door de passage over de postmeester in eerste instantie aan verwarring ten prooi viel, zie ik het naast elkaar bestaan van een realistisch en symbolisch leesspoor niet als een tekort van de auteur, maar als een betekenisvol tekstueel effect. Dit dubbele leesspoor maakt deel uit van de code waarin de roman gesteld is.

Uit de symbolische lezing is de realistische dimensie verdwenen en daarmee Danders 'gender crossing', juist omdat die als een detail en in zeer summiere bewoordingen gepresenteerd werd: *Medicijnen gestudeerd. Naar de tropen gegaan. Gehandicapt door dat vrouwelijke uiterlijk. Een wat manlijker uitziende vrouw zou het hebben kunnen klaarspelen maar ik -- Ik liep de kans teruggeroepente worden na een paar vervelende voorvallen. Er bestaat een kuur.*(p.23) Dat wat vooral mijn aandacht trekt is dat Danders motivatie niet -- naar men zou verwachten -- voortkomt uit het gevoel in het verkeerde lichaam te zijn geboren, maar uit een sociale onvrede die te interpreteren is als een feministische onvrede met de wijze waarop mensen met een vrouwelijk uiterlijk benaderd worden. Uit de formulering 'een wat manlijker uitziende vrouw' en uit de suggestieve lading van de toevoeging 'na een paar vervelende voorvallen', valt op te maken dat het niet gaat om een biologisch 'zwakker gestel' maar uitsluitend om de sociale status die dit uiterlijk met zich meebrengt.

Precies in die realistische dimensie, zo denk ik, is een extra laag in het universele probleem van de ongrijpbare ander te vinden. Danders motivatie om van geslacht te veranderen wordt daarmee de 'navel' van de tekst. Toch is het niet Dander die de decoderingssleutel aanreikt, maar Levka. Het is een kwestie van letterlijk lezen.

Dat lezers in eerste instantie geneigd zijn zich te fixeren op Dander, zoals ook in de meeste kritieken gebeurde, is een tekstueel effect waaraan moeilijk te ontkomen is. Het wordt veroorzaakt door de positie die Levka als ik-figuur inneemt. Zij is de focalisator, dat wil zeggen degene vanuit wier optiek het verhaal ontstaat. Alles wat de lezer/es weet over Dander, is uitsluitend bekend via de waarnemingen van Levka. Alleen de momenten waarop Dander zelf aan het woord is, tonen iets van binnenuit. Welbeschouwd is het enige dat Dander prijsgeeft haar motivatie om van geslacht te veranderen. En dat is trouwens ook het enige concrete dat Levka over Dander weet.

Omdat Levka's optiek bepaald wordt door haar obsessie met Danders ondoorgrondelijkheid, wordt ook de lezer/es gegrepen door de vraag wie Dander is. Een vraag die uiteraard gestimuleerd wordt door ten eerste de situatie waarin Dander verkeert -- het terugdraaien van de geslachtsverandering --, ten tweede de verwachtingen die Levka als verteller opwekt ten aanzien van Danders herstelproces, en ten derde het gegeven dat Dander de ene keer als 'hij' voorkomt, de andere keer als 'zij', op bepaalde momenten als 'hij' en 'zij' tegelijk, en soms binnen één zin afwisselend als 'hij' en 'zij'.

Vooral wat betreft het derde punt is het van het grootste belang te doorzien dat de blik van de lezer door Levka gestuurd wordt. Levka's observaties worden in zekere zin bevestigd door incidentele waarnemingen van niet-ingewijden die aangeven dat er inderdaad iets met Dander aan de hand is: 'een zieke man'(p.57), 'een man in vrouwenkleren'(p.95) en 'een vreemd geklede man' (p.130). Maar omdat de sekse van Dander in die observaties in principe als mannelijk naar voren komt -- eigenlijk precies zoals Levka Dander aanvankelijk zag -- is het de vraag of Dander werkelijk steeds van gestalte verandert. Zoals beauty is truth in the eye of the beholder; Levka's waarnemingen zouden gekleurd kunnen worden door haar eigen gemoedsstemmingen.

Opvallend is dat de eerste keer dat Levka Dander als 'hij' en 'zij' tegelijk benoemt (p.36), samenvalt met een gevoel van onveiligheid. Dit gebeurt niet lang na Danders 'openbaring'. Hij/zij wordt 'een gevaar' omdat Levka haar houding niet weet te bepalen: *Nog steeds bekeek ik haar als man maar als ik werkelijk naar Dander kéék, zag ik de ogen van een vrouw, de blik van een vrouw, de glimlach van een vrouw. Zo werd ik heen en weer geslingerd tussen een onnodige afkeer en een even onnodige aantrekkingskracht, een combinatie die me mijn moeilijk bevochten zekerheid ontnam.*(p.35) Even weet ze haar angst te relativeren, waarop ze Dander weer onmiddellijk 'zij' noemt, maar dan volgt een voortdurende afwisseling van 'hij' en 'zij' die parallel loopt aan Levka's eigen ambivalentie. Enerzijds wil ze door naar A. te vertrekken ontsnappen aan het gevaar dat Dander uitstraalt, maar anderzijds wil ze niets liever dan dat Dander haar tegenhoudt -- niet om zichzelf met het gevaar te confronteren, maar om Dander het gevaar te laten bezweren. Het feit dat haar aangekondigd vertrek hem/haar onverschillig laat, maakt haar razend.

Wanneer ze zich daarbij neerlegt, noemt ze Dander weer 'zij' en blijft dat doen tot ze opnieuw in een situatie belandt waarin ze zich door Dander in de steek gelaten voelt: de ruzie op de markt in H. (p.66-70). Ze besluit zelf te vertrekken naar J. om dan door te reizen. Mild gestemd door de angstervaring in een klein vliegtuig, ziet ze van dat laatste plan af en benoemt ze Dander weer als 'zij'.

In een andere gespannen situatie -- die van de met whisky doordrenkte onderhandeling met de taxichauffeurs -- is Dander voor Levka nog 'zij', maar vanaf het moment dat ze samen zijn en Levka vergeefse pogingen doet tot een gesprek, wordt Dander weer 'hij'.

Ook tijdens haar verblijf op de rots, in de steek gelaten, noemt ze Dander 'hij'.

Uit deze kleine analyse valt op te maken dat Levka de vrouwelijke variant hanteert op momenten dat zij zich veilig voelt,terwijl ze de mannelijke aanwendt in situaties die haar als onveilig voorkomen. Blijkbaar ziet ze in de vrouwelijke Dander zo niet vriendschap dan toch verwantschap, en in de mannelijke Dander eerder de ontkenning daarvan.

De verhouding tussen Levka en Dander is te typeren als een ambivalente afhankelijkheidsrelatie, zoals die wel vaker in het werk van Zikken optreedt. Haar werk valt op te splitsen in reisverhalen (*Alleen polenta vandaag* (1955), *Wees nieuwsgierig en leef langer* (1966)), Indische romans (*De atlasvlinder* (1958)) en psychologische romans (*Code voor Dander* (1965)). De onvrede met het bestaan die de basisproblematiek in Zikkens gehele oeuvre vormt, wordt in de psychologische romans 'vooral langs geïnternaliseerde spanningen tussen personages' tot uitdrukking gebracht. (Jaak de Maere, *Kritisch Literatuur Lexicon,* augustus 1989) Alle relaties 'worden in termen van strijd en gevecht getekend', waarbij de narcistische personages het liefst de ander zouden willen missen, maar toch niet zonder kunnen 'omdat een object voor de strijd en een klankbord voor zelfexploratie nodig is'. Dat is de reden waarom zij zich in wederzijdse afkeer aan elkaar opdringen. Het gevangen zijn in ambivalentie spreekt niet alleen uit *Code voor Dander*, maar ook uit *Als wij groot zijn, dan misschien* (1954), waarin een uit elkaar gegroeid echtpaar figureert, en uit *Geen wolf te zien* (1963), waarin moeder en dochter elkaar het leven zuur maken in een 'dwingende, maar gewilde nabijheid.' (De Maere 1989)

In *Code voor Dander* culmineert de spanning van het voortdurend afstoten en aantrekken steeds in momenten van afscheid en weerzien. Het is vooral Levka die er maar niet in slaagt zich los te maken. Daar zijn twee redenen voor aan te geven. De eerste kan gezien worden in relatie tot de basisproblematiek van het oeuvre. Levka worstelt met de zingeving aan haar leven. Gaandeweg wordt duidelijk dat het haar grootste angst is overvallen te worden door de dood voordat zij in die zingeving geslaagd is. Dat blijkt bijvoorbeeld uit het visioen over haar eigen dood (p.8), de koortsdroom waarin ze haar eigen graf graaft (p.51) en de toast die ze herhaaldelijk uitbrengt: *Daar ga je dan Dander! Als je niet oplet, dan ga je. Als wij niet opletten, dan gaan we. Eraan.*(p.91)

Levka's ervaring met de condities waaronder geleefd moet worden is bitter: *Je had maar te leven. Met het mes op tafel, dat was de enige manier. Je moest kunnen kappen met wat catastrofaal voor je zou kunnen worden. Je moest je verdedigen. Tegen je zelf, tegen de ander.* (p.66) Dit gevecht om 'je zelf te redden' loopt als een rode draad door haar verhaal. En achter de afwerende houding die dat gevecht met zich meebrengt, gaat het verlangen schuil naar iemand die haar bestaan betekenis kan geven. Zij heeft zekerheid nodig. Ofwel: het vertrouwen er niet alleen voor te staan, te kunnen rekenen op iemand die er altijd is, die in haar gelooft zoals in zichzelf. Dat is wat zij in Dander najaagt: *'Dander,' zei ik ademloos, 'verraad mij nooit. Laat er één mens zijn die de ander nooit verraden zal, wat hij ook doet. Ik wil dat jij het zult zijn, Dander, jij kunt de wereld anders maken. Je hoeft niet eens in mijn nabijheid te zijn. Maar ik zou het zeker moeten weten -- dat jij mij nooit zou kunnen verraden.'*(p.65)

Verraad is ook in Zikkens andere werk een sleutelwoord. Evenals Levka hunkert het meisje Gembyr uit *De atlasvlinder* naar een wereld zonder verraad, dat wil zeggen naar een wereld waarin de eigen wereld en die van de ander samenkomen. Zij gelooft in die mogelijkheid: *Er waren plaatsen waar geen verraad bestond. Je kwam er als er iets in je gebeurde waardoor je er niet langer naar kon zoeken, waardoor je niet meer kon overleggen.* (*De atlasvlinder* 1988 (zesde druk), p.149) Toch moet Gembyr door het verlies van haar vriendje Ferdie ervaren dat: *er niet zo iets bestaat als onze wereld. Er is een wereld van mij en er is een wereld van jou. In je eigen wereld kun je glimlachen en doodgaan. Een ander heeft er niets mee te maken.* (*De atlasvlinder,* p.48-49)

Ook Levka moet ontdekken dat degene die zij het meest nabij weet, nooit reageert zoals ze zou willen. Hoewel ze er naar eigen zeggen 'dreinerig' naar blijft zoeken, blijkt een 'Dander-voor-eens-en-altijd' niet te bestaan. (vgl. p.14) Danders wisselende verschijning als man en vrouw is binnen dit kader te beschouwen als een wel zeer pregnante belichaming van de onbereikbare ander.

De tweede reden waarom Levka zich maar niet van Dander kan losmaken, voert tot een zeer specifieke uitwerking van de basisproblematiek. Die reden hangt samen met Levka's ontdekking dat Dander haar zo 'moeilijk bevochten zekerheid' ondermijnt. Tot dusverre had zij zich weten te redden door zichzelf de houding aan te meten van een jong, zelfstandig individu dat de mensen om zich heen zelf uitkiest. Maar door de ontmoeting met Dander moet zij met ergernis constateren gefaald te hebben in de concretisering van haar verlangen om 'in de eerste plaats mens, pas in de tweede plaats vrouw' te zijn. Haar 'moeilijk bevochten zekerheid' blijkt niet meer dan een houding die gebaseerd is op juist dat wat ze dacht overwonnen te hebben: de geconditioneerde verhoudingen tussen de seksen. Niet zonder zelfspot toont ze zich bewust van de oorzaak van haar ambivalentie: *Dit alles kwam (...) doordat ik een vrouw was. De training die ik me zelf had opgelegd met als doel die vrouwentrucjes kwijt te raken, hadden dat erfenisje van eeuwen dat me achtervolgde, minder aangetast dan ik had geloofd. De training was voor niets geweest (...) Stom, onvoorstelbaar stom, dat ik Dander niet alleen nog steeds zag als man maar ook de gebruikelijke manlijke reacties van haar verwachtte.* (p.41-42)

Haar verwarring komt dus niet zozeer voort uit Danders hij/zij verschijning, maar uit het feit dat Levka de sekse-categorieën 'man' en 'vrouw', met de traditioneel daaraan gekoppelde eigenschappen en gedragingen, nodig heeft om zowel haar eigen positie als die van de ander te kunnen bepalen. Op grond van de wijze waarop Levka Dander focaliseert lijkt de problematiek van de ongrijpbare ander verdiept te worden als een probleem van subjectvorming. Je wordt pas iemand door de blik van de ander, maar die ander ontstaat vanuit je eigen blik. En zolang die blik bepaald wordt door het geïnternaliseerde idee van een verband tussen sekse en persoonlijkheid, is behalve een doordringen tot de kern van 'de ander' ook een doorgronding van het eigen 'ik' onmogelijk.

Terecht, denk ik, benoemde C.J.E. Dinaux, die zich in tegenstelling tot de meeste andere critici concentreerde op Levka in plaats van op Dander, de roman als 'een innerlijk avontuur'. (*Haarlems Dagblad* 24-12-1965) Ook voor zijn op Plato geënte opvatting van Dander als 'het pijnlijk gemiste complement, de onontbeerlijke wederhelft zonder welke de mens fragment blijft' is veel te zeggen. Toch krijgt ook hij zijn interpretatie niet 'sluitend' omdat hij blijft worstelen met de vraag naar de code. En dat ligt mijns inziens aan het feit dat hij de realistische dimensie van de roman buiten beschouwing laat. Wanneer Dander niet als symboolfiguur gezien wordt, blijkt de complexiteit van Levka's innerlijke avontuur, dat ik beschouw als een probleem van subjectvorming, nog groter. Het is Danders motivatie om van geslacht te veranderen die deze complexiteit zichtbaar maakt.

Dander is, net als Levka, een vrouw. Een vrouw die, net als Levka, haar opgelegde vrouw-zijn ervaart als een struikelblok in haar ontplooiing. Een vrouw waarin Levka zich denkt te herkennen. Wanneer nogmaals gekeken wordt naar de omstandigheden waaronder Levka Dander als 'hij' of als 'zij' benoemt, blijkt zij steeds de vrouwelijke vorm te hanteren als norm. Op basis van hun verwantschap verwacht ze van Dander veiligheid en solidariteit, uitgedrukt op de manier waarop ze dat zelf zou tonen. Alleen dan heeft zij zekerheid en daarom benoemt ze Dander in die situaties waarin hij/zij van haar norm afwijkt met het woord 'hij' dat het onbekende en dus onveilige symboliseert.

Het thema van de onkenbaarheid van de ander wordt in deze roman geïllustreerd aan een ontmoeting tussen twee vrouwen. Voor Levka is dat, juist door Danders 'gender crossing', een ontmoeting die in eerste instantie herkenning van het eigene zou kunnen inhouden. Haar conclusie dat een 'Dander-voor-eens-en-altijd' niet bestaat, interpreteer ik als een ontkenning van de idee dat vrouw-zijn eenduidig is. Onder de critici was er destijds één bij wie ik voor deze interpretatie steun vind. De toen vijftigjarige dichteres Clara Eggink stelde in het *Leidsch Dagblad* van 20-11-1965: Resumerende kunnen wij ons deze roman het beste voorstellen als de uitwerking van het conflict tussen twee wezens, die hetzelfde proberen: zich te bevrijden van de eigenschappen die hun geslacht door de eeuwen heen kenmerken. In deze strijd zouden zij één moeten zijn, maar dat gaat niet, want de mens kan zijn gevoelssubstantie niet afwerpen. Verder dan de scheiding van de medemens met het vooruitzicht van een herontmoeting in een of andere vorm kan men niet komen. (...) Beschouwt men deze roman in breder verband, dan zou men kunnen zeggen, dat deze een aanwijzing inhoudt voor de weg waarlangs de vrouw haar volledige bevrijding zou moeten zoeken. Bescheiden voegde ze daaraan toe: Er is overigens geen sprake van dat het een ogenblik in Aya Zikkens bedoeling heeft gelegen aan wie dan ook aanwijzingen te geven. Deze conclusie komt geheel voor mijn, resp. des lezers rekening.

Ook ik distantieer me van speculaties over de auteursintentie, want belangrijker dan de bedoeling van de auteur acht ik de beredeneerde betekenisgeving van de lezer/es. Een boek heeft de waarde die een lezer/es er aan toekent. Zoals alleen al uit de kritieken blijkt, bestaat de kracht van *Code voor Dander* uit het feit dat geen enkele lezer/es ontkomt aan een bewuste confrontatie met de tekst, veroorzaakt door Levka's zinspeling op een 'code'. Elke lezer/es gaat zo'n confrontatie aan vanuit het eigen, vaak tijdgebonden referentiekader. Bedoeld of niet, de manier waarop in deze tekst uit 1965 gespeeld wordt met de begrippen mannelijk en vrouwelijk, brengt mij ertoe

Code voor Dander te lezen als een roman die reeds aan het begin van de tweede feministische golf de vermeende gelijkheid onder vrouwen ter discussie stelt.

Petra Veeger, maart 1992

Publikaties:
Het godsgeschenk onbegrepen, Amsterdam, De Arbeiderspers, 1953
Als wij groot zijn, dan misschien, De Arbeiderspers, 1954
Alleen polenta vandaag, De arbeiderspers, 1954
De vrijwilliger, De Arbeiderspers, 1956
De Atlasvlinder, De Arbeiderspers, 1958
Hut 277, De Arbeiderspers, 1962
Geen wolf te zien, De Arbeiderspers, 1963
Code voor Dander, De Arbeiderspers, 1965
Wees nieuwsgierig en leef langer, De Arbeiderspers, 1966
Rameh, verslag van een liefde, De Arbeiderspers, 1968
's Morgens en 's avonds niet bellen, De Arbeiderspers, 1969
Het grote taboe, interviews op de vrouw af, De Arbeiderspers, 1970
Gisteren gaat niet voorbij, Tempo Doeloe, Zwolle, La Rivière en Voorhoeve, 1974
Dwars door de spiegel, Amsterdam, Querido, 1975
Terug naar de Atlasvlinder: een reis door Sumatra, Den Haag, Leopold, 1981
Eilanden van vroeger, Leopold, 1982
Hemd met open hals, Den Haag, Nijgh & Van Ditmar, 1983
Een tijger op je stoep, Nijgh & Van Ditmar, 1985
Een land als Maleisië, reisverhaal, Nijgh & Van Ditmar, 1986
Een warme regen, Nijgh & Van Ditmar, 1987
Sarung, sari en samfu, Nijgh & Van Ditmar, 1988
Op weg naar Yadadore, Nijgh & Van Ditmar, 1990

Over Aya Zikken:
Lucy Th. Vermij, 'Aya Zikken. Een debutant met twintig boeken'. In *Vrouwenboekenweek* 1985

Lucy Th. Vermij, 'Zoektocht naar waarheden en essenties'. In Margriet Prinsen en Lucy Th. Vermij(red), *Schrijfsters in de jaren vijftig*, Amsterdam, Van Gennep, 1991
Jaak de Maere, 'Aya Zikken'. In *Kritisch Lexicon van de Nederlandse Literatuur*, Groningen, Wolters Noordhoff, aug. 1989